Collection
PROFIL
dirigée par Ge

Série
PROFIL

L'Éducation sentimentale

(1869)

FLAUBERT

Résumé
Personnages
Thèmes

PIERRE-LOUIS REY
agrégé des lettres

HATIER

SOMMAIRE

© HATIER, PARIS, JANVIER 1992   ISSN 0750-2516   ISBN 2-218-04713-6

Toutes les références de pages renvoient
à l'édition Gallimard, coll. « Folio », 1990.

Introduction

• À quoi tient, au XIXᵉ siècle, le succès d'un roman ?

– La renommée de l'écrivain. Quand il publie en 1869 *L'Éducation sentimentale*, Flaubert est déjà l'auteur de *Madame Bovary* (1857) et de *Salammbô* (1862) .

– Sa valeur historique ou documentaire. Racontant des événements historiques récents, *L'Éducation sentimentale* satisfaisait la conception de son temps. Le romancier est un « historien du présent » (Goncourt).

– Le rayonnement de ses héros. À cet égard, le titre de *L'Éducation sentimentale* n'était guère accrocheur et Frédéric Moreau est moins à même d'émouvoir qu'Emma Bovary, ou d'exalter que Julien Sorel.

– Ses qualités littéraires. Il faut une rare lucidité pour discerner la nouveauté d'un style aussi peu clinquant que celui de *L'Éducation sentimentale*, ou pour apprécier les vertus d'une composition qui trouve sa vérité dans la mollesse du rythme et l'indécision du dénouement. La critique a mal apprécié le tournant que marquait *L'Éducation sentimentale*.

• Comment considère-t-on *L'Éducation* aujourd'hui ?

Sur la Révolution de 1848, la littérature française n'offre pas de meilleur document. Le caractère de Frédéric est plutôt reconnu comme un signe de modernité : englué dans les objets, la société et le temps qui coule, il est plus proche de Roquentin (*La Nausée*) ou de Meursault (*L'Étranger*) que de Julien Sorel (*Le Rouge et le Noir*) ou de Rastignac (*Le Père Goriot*). Mais surtout, dans les rapports ambigus que Flaubert entretient avec son personnage, on a vu une conception du roman qui préfigurerait le roman des années 1950. Flaubert, ancêtre du « nouveau roman » ? C'est aller vite en besogne. Au moins tenterons-nous d'apprécier les ruptures avec la tradition et les germes de nouveauté contenus dans *L'Éducation sentimentale*.

■■■■■■ PREMIÈRE PARTIE

Chapitre 1 Nouvellement reçu bachelier, un jeune homme de dix-huit ans, Frédéric Moreau, quitte provisoirement Paris pour Nogent-sur-Seine ; il regagnera la capitale dans deux mois pour y faire son droit. Sur le bateau qui le ramène vers sa mère, il fait la connaissance d'un propriétaire de journal (*L'Art industriel*), Jacques Arnoux, mais surtout de sa femme, apparition qu'on croirait descendue du ciel. C'est à peine si elle lui adresse quelques mots ; mais leurs yeux se sont rencontrés. Frédéric ne l'oubliera plus. À Nogent, tout le monde l'attend avec impatience : sa mère, bien sûr, la petite Louise Roque, fille d'un propriétaire enrichi, mais aussi Deslauriers, l'ami de toujours.

Chapitre 2 Retour du narrateur sur la vieille amitié de Frédéric et Deslauriers, sur leurs projets d'avenir. Moins fortuné que son compagnon, Deslauriers compte que Frédéric réussira à Paris. Il a suffi de quelques mots pour que renaisse leur complicité.

Chapitre 3 De retour à Paris deux mois plus tard, Frédéric va mettre à profit une recommandation du père Roque pour M. Dambreuse, industriel et député influent, dont la femme passe pour être jolie. Sortant de chez les Dambreuse, Frédéric voit le nom de Jacques Arnoux sur la boutique de *L'Art industriel*. Commence alors une morne existence, mal remplie par des études inintéressantes, des amitiés insignifiantes et d'inutiles visites à *l'Art industriel*. La grande passion conçue sur le bateau commence à s'éteindre.

Chapitre 4 Une manifestation d'étudiants au quartier Latin produit dans la vie de Frédéric deux effets heureux : il y rencontre Dussardier, qui demeurera jusqu'au bout un ami fidèle et désintéressé, mais surtout Hussonnet, ami d'Arnoux, qui va l'introduire à *L'Art industriel*. Au cours de ses nombreuses visites au journal, Frédéric va accumuler les relations : avec Pellerin, peintre raté, Regimbart, imbécile réussi, et bien d'autres. Que de temps perdu, puisque le domicile des Arnoux se trouve *ailleurs* : croyant passer ses soirées à proximité de l'être aimé, Frédéric a été victime d'un mirage – ce n'est pas le dernier ! Survient alors l'événement providentiel : une invitation à dîner chez les Arnoux, le soir même où Deslauriers arrive à Paris. Qu'importe l'amitié : au domicile des Arnoux, Frédéric, toute une soirée durant, côtoie la divine apparition, l'entend chanter, effleure sa main au moment de la quitter. Sa tête est pleine de rêves et de projets quand il rentre chez lui. Deslauriers, dans le cabinet contigu à sa chambre, dort déjà. Frédéric l'avait oublié.

Chapitre 5 Pour vivre près de Mme Arnoux, Frédéric a décidé d'être peintre et de cultiver l'amitié de Pellerin ; Deslauriers lui conseille de cultiver plutôt ses relations avec les Dambreuse. Sa fréquentation de *L'Art industriel* ne l'avance pas en tout cas pour ses études : il échoue à son examen. Sa vie va se traîner plus que jamais en langueur quand Mme Arnoux s'absente en province (les raisons de cette absence sont obscures ; il semble en tout cas qu'elle soit enceinte puisqu'on la verra trois ou quatre ans plus tard avec un jeune garçon de trois ans). Au bal de l'Alhambra, d'où chacun s'en retourne avec une compagne, Frédéric mesure sa solitude. Puis c'est l'invitation des Arnoux dans leur maison de Saint-Cloud, qui rend patente la goujaterie d'Arnoux vis-à-vis de sa femme et noue un début de complicité entre elle et Frédéric. Mais, de retour à Nogent, Frédéric apprend qu'il est ruiné : c'est la fin de ses rêves de gloire, jamais il ne pourra vivre auprès de Mme Arnoux.

Chapitre 6 Frédéric languit à Nogent dans une étude d'avoué et trouve une maigre consolation dans l'amour que lui voue la petite Louise Roque. Après de longs mois d'ennui, c'est la délivrance : il hérite d'un vieil oncle ! Il va pouvoir reprendre sa vie à Paris, tous les espoirs renaissent.

▮▮▮▮ DEUXIÈME PARTIE

Chapitre 1 C'est la lente remontée (en voiture) vers Paris, puis la visite aux Arnoux qui ont changé de domicile. Visite décevante : Frédéric sent sa grande passion s'étioler. Arnoux l'introduit alors chez Rosanette, fille légère entretenue, sans doute, par plus d'un amant, qui donne ce soir-là un bal masqué où elle est déguisée en maréchale. Une nouvelle soif est venue à Frédéric : « Celle des femmes, du luxe et de tout ce que comporte l'existence parisienne. » (p. 148).

Chapitre 2 Il déménage de la rive gauche vers la rive droite, pour s'installer dans un petit hôtel à proximité du faubourg Saint-Honoré ; puis Frédéric retourne voir les Dambreuse : Mme Dambreuse l'invite de façon fort engageante à revenir. C'est enfin la visite à Mme Arnoux qui ravive sa passion. S'est-il jamais détourné d'elle ? Tout se passe comme si, « arrivé » dans la vie, il s'était donné les moyens matériels et psychologiques de mener enfin à bien sa grande aventure.

Chapitre 3 La mésentente du couple Arnoux, mais aussi les difficultés financières auxquelles Jacques Arnoux est en butte donnent de l'espoir à Frédéric : sa fortune reconquise va en effet servir à les aider. Toutefois, en laissant entendre, par légèreté ou perfidie, que Rosanette est la maîtresse de Frédéric, Arnoux le dessert auprès de sa femme. Frédéric va retrouver Mme Arnoux à la fabrique de faïences que son mari exploite désormais près de Creil : visite décourageante, à l'issue de laquelle Mme Arnoux se montre plus ferme que jamais sur les principes moraux. Une invitation de Rosanette console opportunément Frédéric.

Chapitre 4 Frédéric et Rosanette se rendent à l'hippodrome du Champ-de-Mars, où Mme Arnoux les voit ensemble. C'est ensuite le dîner au Café Anglais, où le vicomte de Cisy, dandy insignifiant, souffle Rosanette à Frédéric. Celui-ci se vengera en le provoquant en duel pour laver l'honneur des Arnoux qu'il avait jugé insulté. Le duel a lieu, mais Arnoux, accouru en trombe, y met fin. Il montre d'autant plus de chaleur pour Frédéric qu'il paraît bien décidé à ne pas rembourser l'argent que celui-ci lui a prêté. Or, des difficultés boursières font baisser les revenus de Frédéric. Fatigué, celui-ci retourne à Nogent. Son mariage avec Louise Roque se présente comme une perspective possible.

Chapitre 5 Deslauriers, qui compte toujours sur la fortune de Frédéric pour assurer son propre avenir, s'impatiente ; chargé de recouvrer la créance auprès d'Arnoux, il se livre à une extravagante déclaration d'amour auprès de sa femme et lui annonce que Frédéric va se marier. Il faut cette fausse nouvelle pour que Mme Arnoux se persuade qu'elle aime Frédéric. Au reste, est-elle si fausse ? À Nogent, dans le même temps, Frédéric paraît trouver une certaine douceur à évoquer des souvenirs d'enfance avec Louise Roque. Mais une lettre de Deslauriers, fort maladroite (« C'est inutile que tu reviennes ! », p. 277), va le décider à revenir.

Chapitre 6 Retour sans joie dans le Paris désert du mois d'août. La tentation d'épouser Louise et de profiter de la fortune du père Roque se précise. Des visites à Rosanette et à Mme Arnoux se révèlent décevantes. Des discussions chez Dussardier donnent la mesure du climat politique de cette fin d'année 1847. Enfin, tombant par hasard sur Mme Arnoux un jour où il rendait visite à son mari pour affaires, Frédéric se justifie : son mariage ? une invention ! sa liaison avec Rosanette ? une calomnie ! Alors commence entre eux une douce idylle : Frédéric multiplie ses visites à la maison de campagne d'Auteuil où il est sûr de la trouver seule ; l'un et l'autre s'abandonnent à des déclarations tendres et innocentes. Et c'est ainsi que Frédéric parvient à lui arracher un rendez-vous qui engage

Chapitre 5 Quand Frédéric vole au secours des Arnoux, il est trop tard : ils sont partis. Mal remis de la blessure d'amour-propre que lui avait jadis infligée Mme Arnoux, Deslauriers conseille à Mme Dambreuse de faire vendre aux enchères le mobilier des Arnoux afin de récupérer ses créances. Le jour de la vente, Frédéric a l'insupportable douleur de voir Rosanette et Mme Dambreuse essayer d'obtenir à bas prix ces objets qui symbolisaient sa grande passion. Quittant les deux femmes à jamais, il assiste dans la rue aux premières manifestations du coup d'État fomenté par Louis-Napoléon Bonaparte et qui aboutira au Second Empire : un homme qui s'obstine à crier « Vive la République ! » est transpercé d'une épée par un sergent de ville. La victime est le brave Dussardier ; le sergent est Sénécal, socialiste intransigeant qui a mis son intransigeance au service de la tyrannie.

Chapitre 6 « Il voyagea. Il connut la mélancolie des paquebots (...) » (p. 450). Son âge mûr, Frédéric le passera tout entier dans le désenchantement et le désœuvrement. Près de seize ans plus tard, un soir, une femme entre chez lui : « Madame Arnoux ! » Le temps d'échanger quelques souvenirs, une étreinte un peu trouble, et Mme Arnoux s'en va, cette fois pour toujours.

Chapitre 7 Près de deux ans plus tard, au début de l'hiver 1868-1869, Frédéric et Deslauriers causent au coin du feu et font le bilan de leur existence. Mme Arnoux, veuve, est retirée à Rome avec son fils. Deslauriers a épousé Louise Roque, puis celle-ci s'est enfuie avec un chanteur. Mme Dambreuse s'est remariée avec un Anglais. Tous les amis dont ils ont gardé la trace ont connu des échecs ou de dérisoires réussites. Un souvenir d'adolescence leur revient : ce jour où ils faillirent entrer dans une maison close qui leur paraissait alors d'une insondable poésie ; amusées de leur embarras, les filles éclatèrent de rire, et les deux jeunes amis s'enfuirent à toutes jambes. « – C'est là ce que nous avons eu de meilleur ! dit Frédéric. – Oui, peut-être bien ? C'est là ce que nous avons eu de meilleur ! dit Deslauriers. » (p. 459).

2 Genèse du roman

À moins de quinze ans, sur la plage de Trouville (Normandie), Gustave Flaubert rencontre Élisa, femme plus âgée que lui, mariée à Maurice Schlesinger, un homme hâbleur et séduisant qui s'intéresse à l'art et aux affaires. C'est le début d'une grande passion. Les ressemblances entre Maurice Schlesinger et le Jacques Arnoux du roman sautent aux yeux ; entre Élisa et Marie Arnoux, elles sont moins concluantes. Ce serait en tout cas une erreur de lire *L'Éducation sentimentale* comme un roman autobiographique. Si, comme tant d'adolescents, Flaubert a éprouvé une passion, il n'en a sans doute pas été marqué pour la vie. La survivance du grand amour de Trouville, c'est plutôt dans son œuvre que nous la chercherons, comme un thème d'autant plus convaincant qu'il sait le tenir à distance.

« Mémoires d'un fou » (1838)

Cette œuvre en prose, longue de quelques dizaines de pages, ne sera révélée au public qu'en 1900. S'y présentant comme un fou, l'auteur peut donner libre cours à un romantisme échevelé. Retenons surtout les chapitres X à XIV, où Maria apparaît comme une visible transposition d'Élisa Schlesinger : « Elle était grande, brune, avec de magnifiques cheveux noirs qui lui tombaient en tresses sur les épaules... » L'aventure amoureuse tourne court ; mais l'étonnant est la manière dont Flaubert la conclut : « Si je vous disais que j'ai aimé d'autres femmes, je mentirais comme un infâme. » Songez qu'il a dix-sept ans lorsqu'il prononce ces paroles désabusées qui sonnent comme le bilan d'un adulte revenu de tout ! La fin de

L'Éducation exhalera la même amertume, mais en la justifiant par les déceptions de toute une existence. Que Flaubert module ce thème dès son adolescence témoigne peut-être d'un penchant mélancolique, mais surtout de son goût pour les grands romantiques (Byron, Lamartine, Musset...).

« Novembre » (1842)

Bien que Flaubert l'estimât davantage que la précédente, cette œuvre aussi attendra la postérité pour être publiée (1910). Récit d'une aventure avec une fille publique, *Novembre* offre des perspectives narratives diverses (confessions de l'auteur et de l'héroïne, passage de la première à la troisième personne...) qui témoignent que Flaubert est déjà plus maître de son art que dans ce grêle récit autobiographique à quoi pouvaient se réduire les *Mémoires d'un fou*. Le portrait de la fille publique (« Ses cheveux noirs, lissés et nattés sur les tempes, reluisaient comme l'aile d'un corbeau ») fait penser à celui de Marie Arnoux. Une « fille » pour servir d'ébauche à celle qu'on voit volontiers comme une madone ? Nous verrons que ce paradoxe peut trouver sa solution.

La première « Éducation sentimentale » (1845)

Ce roman auquel Flaubert a travaillé par intermittence en 1843 et 1844 avant de l'achever en janvier 1845 ne sera lui aussi publié qu'après sa mort (par fragments) dans *La Revue blanche* (1910-1911). Deux jeunes gens, Jules et Henry, y réussissent leur vie, le premier grâce à la création artistique, le second grâce aux affaires. De même la seconde *Éducation* nous présentera-t-elle l'histoire de deux amis, Frédéric et Deslauriers ; mais Flaubert privilégiera le premier au point de donner l'impression que c'est à travers lui que sont racontés tous les éléments du roman ; et Frédéric et son ami se retrouveront à la fin pour constater leur échec, non leur réussite comme Jules et Henry.

Mais la première *Éducation* retient surtout par son personnage féminin, Émilie Renaud, plausible synthèse d'Élisa Schlesinger (passion idéale) et d'Eulalie Foucaud (qui offrit à Flaubert des joies moins éthérées). De fait, Émilie devient la maîtresse d'Henry. Ici encore, l'écart est sensible : *L'Éducation* de 1869 racontera une passion platonique.

À tout prendre, les ressemblances entre les deux versions sont moins frappantes que ne le laisse supposer leur titre commun. Du reste, s'il arrive qu'un écrivain donne deux versions différentes d'une même pièce (ainsi *L'Échange*, de Claudel), il est beaucoup plus rare d'intituler semblablement deux œuvres distinctes. On croirait qu'en appelant *L'Éducation sentimentale* son roman de 1869, Flaubert tient pour nul et non avenu celui de 1845 ; sévérité excessive, et certains critiques regretteront qu'il ait si bien su nuire à son œuvre de jeunesse.

« La Tentation de saint Antoine », « Madame Bovary », « Salammbô »

Entre 1845 (première *Éducation*) et 1864 (début de composition de la seconde), Flaubert écrit trois chefs-d'œuvre : *La Tentation de saint Antoine*, dont il donnera trois versions successives, *Madame Bovary* et *Salammbô*. Ces trois œuvres ont un point commun : elles éloignent Flaubert de l'autobiographie.

Dans *La Tentation*, il imagine un ermite aux prises avec des apparitions démoniaques ; œuvre poétique et fantastique qui l'occupera presque toute sa carrière puisque la dernière version ne sera publiée qu'en 1874, elle déconcerte ses amis qui lui conseillent de choisir plutôt « un sujet terre à terre, un de ces incidents dont la vie bourgeoise est pleine ». Il leur obéit en imaginant *Madame Bovary* qui l'obsédera cinq ans durant. Quand l'œuvre paraît (1857), elle est accueillie comme un roman « réaliste », preuve que cette fois encore, on est sensible au sujet plutôt qu'à la manière dont il est traité. Après ce « pensum », Flaubert va oublier la grisaille de la vie de province en composant une « grande machine » antique, *Salammbô* (1862), épisode de l'histoire carthaginoise, qui lui coûtera cinq ans de recherches, sans parler du travail du style qui le tracasse toujours à la virgule près. Vingt ans durant, Flaubert s'est donc détourné du thème de l'« éducation sentimentale ».

■■■■ LE TRAVAIL DU ROMANCIER

Les affres de la composition

À Mlle Leroyer de Chantepie, une admiratrice de *Madame Bovary*, Flaubert écrit le 6 octobre 1864 : « Me voilà maintenant attelé depuis un mois à un roman de mœurs modernes qui se passera à Paris. Je veux faire l'histoire morale des hommes de ma génération, sentimentale serait plus vrai. C'est un livre d'amour, de passion ; mais de passion telle qu'elle peut exister maintenant, c'est-à-dire inactive. Le sujet, tel que je l'ai conçu, est, je crois, profondément vrai, mais à cause de cela même, peu amusant probablement ? Les faits, le drame manquent un peu ; et puis l'action est étendue dans un laps de temps trop considérable. Enfin, j'ai beaucoup de mal et je suis plein d'inquiétudes. » *L'Éducation sentimentale* est donc en route, mais dans le doute et la souffrance. À la lumière de cette lettre, notons que :

– cette *Histoire d'un jeune homme* (tel sera le sous-titre donné au roman) est moins une aventure individuelle qu'une destinée exemplaire, représentative d'une époque ;

– « sentimentale » est quasiment synonyme de « morale » sous la plume de Flaubert. La morale de cette génération serait-elle donc dominée par les sentiments plutôt que par les idées ? Peut-être tenons-nous là la vraie raison du climat d'échec du roman.

Le dossier complet de *L'Éducation* comportait 2 355 feuillets écrits recto verso ! Si encore Flaubert composait au fil de la plume ; mais non, une phrase lui demande parfois des heures de travail. Il envie la facilité de son amie George Sand : « L'idée coule chez vous largement, inces-

15

samment comme un fleuve. Chez moi c'est un mince filet d'eau, il me faut de grands travaux d'art avant d'obtenir une cascade. Ah ! je les aurai connus (sic), les *Affres du style* ! » (27 novembre 1866).

Voici en résumé le rythme suivi par Flaubert pour la composition de son roman :

- 1re partie (100 pages), écrite en 16 mois.
- 2e partie (près de 200 pages), écrite en 21 mois.
- 3e partie (140 pages), écrite en 15 mois.

Enfin, il écrit à J. Duplan : « Dimanche matin, 16 mai 1869, cinq heures moins quatre minutes. FINI ! mon vieux ! Oui, mon bouquin est fini ! ça mérite que tu lâches ton emprunt et que tu viennes m'embrasser. Je suis à ma table depuis hier, huit heures du matin. La tête me pète. N'importe, j'ai un poids de moins sur l'estomac. »

La transposition des souvenirs

Un roman n'est jamais exempt de souvenirs ; mais ceux-ci se déforment, s'enrichissent, se contaminent. Dans le geste de Frédéric, ramassant sur le bateau le châle de Marie Arnoux, la critique voit d'ordinaire un écho au geste de Flaubert qui, dans les *Mémoires d'un fou*, ramassait sur la plage la pelisse d'Élisa Schlesinger ; mais Flaubert raconte aussi bien (lettre à Louise Colet du 2 septembre 1853) comment, quand il avait seize ans, un monsieur en pantalon blanc avait ramassé à sa place le voile d'une belle dame... Et si, dans *L'Éducation*, Flaubert se souvenait moins de l'acte réellement accompli que de l'acte manqué ? Plutôt que de reproduire la réalité, le roman peut donner l'occasion de prendre sur elle de belles revanches.

Derrière la vie d'étudiant de Frédéric, il est tentant de deviner celle de Flaubert. L'hôtel de la rue Saint-Hyacinthe (à deux pas de la rue Soufflot) où loge Frédéric à son arrivée à Paris est le même que celui où avait logé Flaubert. Tous deux descendent la rue de la Harpe pour aller dîner dans un modeste restaurant, et Flaubert s'est souvenu de son propre échec à un examen de droit pour raconter celui de son héros. Enfin, les rapports de Flaubert avec le couple Schlesinger peuvent être imaginés à partir du roman : lui aussi devint un familier de la maison, et son amour pour l'épouse dut donner au mari un prestige ambigu.

Une minutieuse documentation

Un meuble ou un vêtement conçus par des artisans sérieux sont irréprochables jusque dans leurs parties invisibles ; il en va de même d'un roman. Flaubert aurait pu économiser des centaines d'heures, passées à se documenter sur des détails ; quelques dizaines de lecteurs s'en seraient aperçus ; mais lui-même n'aurait pas eu la conscience en paix. Il s'agit bien, ici, de conscience professionnelle. On se limitera à quelques exemples.

Pour décrire la course de chevaux du Champ-de-Mars (pp. 227-230), Flaubert se renseigne sur l'aspect que présentait le champ de courses en 1847, en fixe tous les détails sur un plan, relève les noms des propriétaires de l'époque et les couleurs de leurs casaques, fait des croquis des toilettes à la mode. Pour le dîner au Café Anglais décrit dans le même chapitre, il écrit plusieurs lettres à Jules Duplan pour qu'il obtienne du propriétaire un menu de l'époque. Décide-t-il que Frédéric va perdre de l'argent en bourse ? Il se documente auprès d'Ernest Feydeau sur l'activité boursière de 1847, en précisant que l'événement ne devra pas tenir dans son livre « plus de 6 ou 7 lignes ». L'enfant de Mme Arnoux souffre du croup (maladie qui empêchera le rendez-vous de la rue Tronchet) : il va se renseigner lui-même sur ses effets (« J'ai passé une semaine entière à me trimbaler à l'hôpital Sainte-Eugénie, pour étudier des moutards atteints de croup ») et consulte des ouvrages médicaux ; c'est dans l'un d'eux qu'il choisit le dénouement de la maladie par expulsion spontanée de la membrane, issue très rare, mais qui lui permettait de ne pas raconter une opération à laquelle il n'avait pu assister. Enfin, pour composer l'épisode de Fontainebleau (III, 1), il se rend deux fois dans la forêt, et se renseigne surtout avec précision sur les heures et les moyens de transport entre Paris et Fontainebleau en 1848. Pour avoir d'abord trop légèrement imaginé qu'il y avait déjà, à cette époque, une ligne de chemin de fer, il a eu « deux passages à démolir et à recommencer ».

Il ne faudrait pas que ce travail acharné sur des détails nous fasse oublier l'essentiel, et que *L'Éducation sentimentale* apparaisse comme une reconstitution minutieuse et réaliste. C'est le fait d'un grand artiste de ne rien laisser au hasard. Dans un tableau de Michel-Ange ou de Véronèse, on ne verra jamais la saillie d'un muscle ou le drapé d'un vêtement qui ne réponde aux lois de l'anatomie ou de la physique. On n'aurait pourtant pas idée de considérer leurs toiles comme étant avant tout de fidèles documents.

Les corrections

Les scrupules de Flaubert dans son travail d'écrivain s'accompagnent d'humilité, c'est-à-dire qu'il s'enquiert de l'avis des autres, et notamment de ses amis fidèles.

Les seules corrections attestées sont pourtant dues à Maxime Du Camp, l'« ami jaloux » de Flaubert selon Paul Bourget. Ce sont essentiellement des corrections de style, voire de grammaire, que Flaubert rejette avec éclat dans un premier temps, avant d'en retenir les deux tiers (« 251 remarques, note-t-il, j'en ai envoyé promener 87 »). La collection Folio, à laquelle nous renvoyons, mentionne en notes quelques-unes des suggestions de Du Camp. Nous ferons ici état de deux « résistances » intéressantes de Flaubert :

– p. 20 (sur le bateau) : « Beaucoup chantaient. On était gai. Il se versait des petits verres. » Du Camp objecte : « Trois sujets différents dans la même ligne – qui ça, il ? » Ce « il » impersonnel (comme dans « il se trame d'étranges choses ») peut effectivement désorienter. Flaubert le maintiendra.

– p. 69 : « À l'horloge d'une église, une heure sonna, lentement, pareille à une voix qui l'eût appelé. » Du Camp se récrie : « Ça c'est farce – comment veux-tu qu'un coup sonne lentement ? deux ou trois, à la bonne heure ! » Ici encore, Flaubert maintiendra son texte, soit parce que *une* est dans son esprit l'article indéfini (ce peut donc être deux ou trois heures), soit que « lentement » signifie « longuement ».

███ ONZE ANS D'HISTOIRE

La fin de la Monarchie de Juillet

On appelle « monarchie de Juillet » le régime issu de la Révolution de juillet 1830, qui a conduit à un changement de dynastie et porté Louis-Philippe sur le trône. À la différence de son prédécesseur Charles X, Louis-Philippe n'est pas roi de France, mais roi des Français ; il a adopté le drapeau tricolore au lieu du drapeau blanc ; pour l'essentiel, son règne favorise l'accession au pouvoir de la bourgeoisie.

Le 15 septembre 1840 (début du roman), Thiers, Premier ministre du roi, est fort contesté ; l'été a vu se tenir de nombreux « banquets », réunions apparemment anodines qui servent de prétexte à rassembler les opposants au régime. À l'automne, Thiers doit démissionner. Le 29 octobre est formé un nouveau ministère inspiré par Guizot, ministre des Affaires étrangères avant de devenir président du Conseil en septembre 1847. Guizot, c'est le défenseur des notables (aristocratie orléaniste[1] ou grande bourgeoisie), l'artisan de l'expansion économique (« Enrichissez-vous par le travail et par l'épargne »), le défenseur d'une politique extérieure prudente contre l'exaltation guerrière et patriotique de Thiers. Il va rapidement cristalliser la haine de tous les opposants. Pourtant, les élections

---

1. Les *orléanistes* sont des monarchistes ralliés à la dynastie d'Orléans (celle de Louis-Philippe), tandis que les *légitimistes*, considérant Louis-Philippe comme un usurpateur, demeurent fidèles à la branche aînée des Bourbons, dont le dernier représentant est Charles X.

d'août 1846 lui donnent à la Chambre des députés une majorité d'autant plus confortable que l'opposition est divisée. S'identifiant de plus en plus avec le gouvernement Guizot, la monarchie de Louis-Philippe paraît bien assise. Un an et demi plus tard, elle va s'effondrer.

La conquête de l'Algérie, entreprise en 1830, ne rapporte qu'un médiocre prestige au régime malgré la reddition d'Abd-el-Kader en 1847. Les mauvaises récoltes de 1846 déclenchent une crise agricole dont l'industrie et les finances subissent bientôt le contrecoup. L'impopularité de dirigeants corrompus grandit par contraste les figures révolutionnaires de 89 ou de 93 et assure le succès de l'*Histoire des Girondins* de Lamartine. Agrippée à ses intérêts, la majorité parlementaire rejette une modification du cens[1] qui aurait pu marquer une étape vers le suffrage universel. L'interdiction d'un « banquet réformiste », le 22 février 1848, va précipiter les événements.

La Révolution de 1848

En trois jours, le régime est balayé. Le 22 février, des manifestants protestent contre l'annulation du banquet. Le 23, des barricades se dressent dans Paris. La Garde nationale, recrutée parmi la bourgeoisie, n'a guère montré d'empressement à défendre le pouvoir ; peut-être ne se doutait-elle pas qu'en acceptant la chute de Guizot, elle entraînait celle du régime. Quand Louis-Philippe se résigne à demander la démission du ministère, il est trop tard. Le même soir, une fusillade sur le boulevard des Capucines transforme l'émeute en révolution. Le 24, Louis-Philippe abdique et s'exile en Angleterre ; un gouvernement provisoire est proposé à la Chambre des députés ; le soir, sur le perron de l'Hôtel de Ville, la République est proclamée. Comme souvent dans notre Histoire, Paris avait, en quelques heures, décidé du sort de la France.

---

1. Impôt qu'il faut payer pour être électeur dans un suffrage dit *censitaire*. Vers 1840, on ne compte en France que 250 000 électeurs.

La Seconde République

Ses débuts sont marqués par une prolifération de clubs et de journaux. Curieusement, elle rallie tous les suffrages ; mais de quelle république parle-t-on ? Les ouvriers la veulent « rouge » et il faudra un célèbre discours de Lamartine pour imposer le drapeau tricolore. Pour les légitimistes, elle devrait être une étape vers le retour des Bourbons ; ils seront les dindons de la farce. La bourgeoisie veut une république libérale, en aucun cas socialiste ; c'est elle qui sera la vraie bénéficiaire de la Révolution de 1848.

Les journées de juin 1848 vont dissiper cette unanimité de façade. La fermeture des « ateliers nationaux », qui offraient du travail aux ouvriers, a donné le signal d'une révolte plus sanglante que les journées de février. Depuis 1789, on croyait que le peuple et la bourgeoisie menaient le même combat : leurs routes divergent désormais. La IIe République sera conservatrice : l'élection à la Présidence de Louis-Napoléon Bonaparte consacre cette évolution, même si les idées prolétariennes dont il se targue et la légende familiale dont il s'auréole entretiennent les illusions d'une partie du peuple. Ces illusions s'effondreront le 2 décembre 1851 quand, à la faveur d'un coup d'État, Louis-Napoléon deviendra Napoléon III, empereur des Français.

Nous ne parlerons pas du Second Empire puisque Flaubert expédie en quelques lignes la période qui va du 2 décembre 1851 à mars 1867.

Voyons maintenant comment se détachent sur ce fond historique les événements datés de *L'Éducation sentimentale*.

Première partie

Deuxième partie

Troisième partie

Cette chronologie appelle plusieurs remarques.

• L'action du roman est fortement ancrée dans la réalité. Les incertitudes de dates sont plutôt rares ; les références à des événements historiques ou artistiques sont, au contraire, nombreuses et concordantes.

• Neuf chapitres sur dix-neuf renvoient aux années 1847 à 1849, décisives pour le destin de la France autant que pour la destinée de Frédéric. Une date charnière à la fin de la deuxième partie : le 22 février 1848, rendez-vous manqué de Frédéric qui coïncide avec un rendez-vous manqué de l'Histoire (aux yeux de Flaubert, la Révolution de 1848 n'apportera en effet que désillusions).

• Cette rencontre de l'Histoire et de la destinée de Frédéric se produit à d'autres endroits. Ainsi le 1er décembre 1851, jour de la vente aux enchères des biens de Mme Arnoux, prélude-t-il au coup d'État de Louis-Napoléon Bonaparte. On brade en même temps la République et le passé de Frédéric : toutes les illusions s'envolent le même jour.

• Entre le 2 décembre 1851 et le mois de mars 1867 (début du chapitre 6 de la IIIe partie), une ellipse énorme : plus de quinze années résumées en quelques lignes, comme si Flaubert, intéressé par les moindres événements de la monarchie de Juillet et de la IIe République, négligeait le Second Empire. Il semblerait qu'à partir du coup d'État, l'Histoire s'arrête. Mais n'est-ce pas plutôt l'histoire de la vie amoureuse de Frédéric qui s'arrête ? Une fois encore, destinée individuelle et devenir historique se croisent.

• Le roman étant publié en 1869, le temps dans lequel Frédéric et Deslauriers se situent à la fin du roman correspond au temps du narrateur. Flaubert a du reste le même âge que Frédéric (lui aussi avait dix-huit ans le 15 septembre 1840). Faut-il en conclure à des ressemblances entre le romancier et son personnage ? Nous verrons qu'il faut demeurer prudent sur ce sujet.

« L'ÉDUCATION SENTIMENTALE », ROMAN HISTORIQUE ?

Qu'est-ce qu'un roman historique ?

Il faut distinguer le *roman historique*, véritable genre littéraire, et l'*histoire romancée*, manière aimable et peu rigoureuse de raconter l'Histoire. Le roman historique a eu un fondateur : Walter Scott. Il consiste à mêler, au sein d'une intrigue inventée, des personnages fictifs et des êtres ayant réellement existé. Ainsi, dans *Quentin Durward*, un jeune archer écossais imaginé par W. Scott côtoie-t-il Louis XI et Charles le Téméraire, réunis pour la très historique entrevue de Péronne. Ce type de roman renouvelle notre conception de l'Histoire : au lieu de croire naïvement que des figures célèbres jouent le rôle décisif dans les grands événements, nous soupçonnons que des anonymes peuvent avoir une action ignorée et déterminante. Il reflète aussi une époque (XVIIIe-XIXe siècles) marquée par l'influence croissante de la bourgeoisie : l'Histoire n'est plus aux mains de quelques seigneurs, mais d'une classe sociale dont le pouvoir repose sur l'argent et la volonté d'entreprise plutôt que sur le prestige et le nom.

Le cas de « L'Éducation sentimentale »

On ne peut parler de « roman historique » si les événements historiques sont une simple toile de fond pour l'intrigue. Tel est l'un des soucis majeurs de Flaubert : « J'ai bien du mal à emboîter mes personnages dans les événements politiques de 1848 », écrit-il à Jules Duplan le 14 mars 1868. Le danger est d'autant plus grand quand le roman traite d'une période récente, que la majorité des lecteurs a vécue. « On s'intéresse moins à Frédéric qu'à Lamartine », écrit encore Flaubert. Le problème est finalement résolu par l'effacement de Lamartine et des grandes figures révolutionnaires de 48. De la Révolution, nous saisissons des bribes au hasard du regard de Frédéric ; des grands événements, nous connaissons les retombées individuelles plutôt que leur influence sur la marche de l'Histoire. Ainsi peut-on considérer que, comme W. Scott, Flaubert pousse au premier plan un héros anonyme.

Leurs conceptions de l'Histoire sont pourtant fort différentes : Quentin Durward ou Rob Roy[1], les héros de W. Scott, sont des anonymes qui *font* l'Histoire ; Frédéric la subit. Au lieu de témoigner du pouvoir créateur de la bourgeoisie, Flaubert montre en elle le jouet des événements. Ainsi, s'il s'attarde sur une scène typique de l'année 1848, celle du *Club de l'Intelligence* (pp. 330 et suiv.), c'est pour en démasquer la sottise et l'imposture. Pendant les terribles journées de juin, Frédéric contemple à Fontainebleau la Nature éternelle et les grandes figures du passé (p. 350). S'il revient à Paris au secours de Dussardier blessé, son geste est inspiré par un dévouement personnel, non par un engagement politique. Enfin, s'il se rappellera la date du 1er décembre 1851 (p. 441), ce n'est pas parce que la IIe République y connaît ses dernières heures, mais parce qu'on vend ce jour-là le mobilier de Marie Arnoux.

Ainsi, *L'Éducation* s'apparente au roman historique. Pour qu'elle en fût vraiment un, il aurait fallu que Frédéric jouât un rôle dans les événements (s'il avait composé un roman sur le même sujet, W. Scott aurait imaginé une entrevue de Frédéric avec Lamartine ou Louis-Napoléon, alors que chez Flaubert, il ne côtoie que des sous-fifres). Mais cette différence vient de deux conceptions opposées de l'Histoire : conception optimiste chez W. Scott (qui croyait au rôle des classes montantes et, notamment, de la bourgeoisie), désabusée chez Flaubert (qui ne voit autour de lui qu'égoïsme et illusions). Cette différence entre deux écrivains est peut-être aussi une différence d'époques : depuis 1848 et les journées de juin notam-

---

1. Rob Roy a existé, mais Walter Scott a créé sa légende.

ment, on sait que le Peuple et la Bourgeoisie ne marchent pas ensemble vers un même idéal ; leurs intérêts divergent désormais ; force de progrès, la bourgeoisie est devenue aussi une force de réaction.

Le nihilisme politique de Flaubert

On connaît le mot de Stendhal : « La politique dans un roman, c'est un coup de pistolet au milieu d'un concert. » Entendez par là qu'un romancier digne de ce nom ne doit pas se servir de son œuvre pour faire connaître directement ses opinions, comme il le ferait dans un pamphlet. Le roman historique (y compris dans le cas de Balzac ou de Hugo) *témoigne* d'une conception idéologique, politique, etc., de l'écrivain, il ne l'*expose* pas. Ainsi *L'Éducation* traduit-elle le nihilisme de Flaubert ou, pour le moins, un scepticisme généralisé devant toutes les opinions politiques de son époque.

Les proclamations politiques des personnages s'annulent en effet si bien les unes les autres qu'elles retiennent l'attention par leurs contrastes et leur sottise plus que par leur contenu ; elles engagent aussi peu le débat politique, semble-t-il, que les tirades d'Homais dans *Madame Bovary* n'engagent la valeur scientifique de la pharmacie. « Pas si bêtes de nous faire tuer pour les bourgeois ! Qu'ils s'arrangent ! » dit un ouvrier. « Canailles de socialistes ! Si on pouvait, cette fois, les exterminer », rétorque un bourgeois (pp. 448-49). À la veille du coup d'État de Louis-Napoléon, le narrateur ne prend pas parti : il donne à entendre des slogans inconciliables, où l'on mesure à partir de quel malentendu s'étaient unis les révolutionnaires de février 1848.

Essayons pourtant de préciser quel enseignement politique on peut tirer d'une atmosphère aussi négative. Par sa fortune, Frédéric est un bourgeois. Son échec au plan social et politique (incapacité à faire fructifier son héritage, à s'engager autrement que sur des coups de tête...) peut symboliser un certain échec de la bourgeoisie. L'opportunisme de Dambreuse (grand bourgeois), l'inconsistance d'Arnoux (moyenne bourgeoisie qui trébuche en voulant s'élever) parachèvent ce constat d'échec. Mais qui voit-on ailleurs ? Regimbart veut la République parce que, au restaurant comme en politique, il prend toujours le contrepied de ses voisins ; Deslauriers la veut par ambition personnelle ; Sénécal, enfin, y voit le moyen de mettre en œuvre son goût de la discipline et de l'autorité. Quant aux légitimistes, résumés par Cisy, ils se réduisent à une insignifiante nostalgie du passé.

Dans ce concert de bêtises, on peut entendre cependant quelques coups de pistolet. Ils visent plus particulièrement les socialistes. Ainsi, quand on lit à la page 157 : « La lourde charretée des écrivains socialistes, ceux qui réclament pour l'humanité le niveau des casernes, ceux qui voudraient la divertir dans un lupanar ou la plier sur un comptoir », c'est bien Flaubert qui parle (et pas seulement le narrateur) pour faire entendre des opinions toutes proches de celles de sa correspondance.

4 L'histoire d'un jeune homme

▬▬▬ FRÉDÉRIC, L'ANTI-HÉROS

Le personnage-phare du roman

L'Éducation sentimentale s'inscrit au XIXᵉ siècle, par son motif principal (la passion sans espoir d'un jeune homme pour une femme mariée), dans une tradition dont les plus illustres exemples sont *Volupté* de Sainte-Beuve et *Le Lys dans la vallée* de Balzac[1]. Flaubert semble d'ailleurs reconnaître cette filiation en affirmant qu'il a écrit son roman essentiellement en pensant à Sainte-Beuve. Une différence capitale sépare cependant les deux romans cités de celui de Flaubert : ceux-là sont écrits à la première personne et revêtent par conséquent l'aspect de confessions, tandis que *L'Éducation sentimentale* présente son personnage principal à la troisième personne.

Cette troisième personne est toutefois fort ambiguë. Elle signifie si peu une mise à distance du personnage par le narrateur qu'à certains moments, on a l'impression que Flaubert écrit « Frédéric » comme il écrirait « je ». Sans doute le roman ne se présente-t-il pas comme une « confession » de Frédéric : quelques scènes se déroulent dans son ignorance et le lecteur pénètre parfois les pensées des autres personnages mieux qu'il ne le fait lui-même : ainsi, la frayeur de Cisy avant le duel (pp. 250-252) n'est-elle pas connue de lui ; il en est de même d'une

---

1. *Le Lys dans la vallée*, roman personnel, est à cet égard peu typique de la production de Balzac. Ce n'est pas à lui que nous songerons quand nous dirons « balzacien », mais aux romans de *La Comédie humaine* dans lesquels le narrateur présente tous ses personnages de l'extérieur, quitte à nous dévoiler leurs pensées dès qu'il le juge nécessaire.

scène importante (pp. 271-273) qui concerne Mme Arnoux. Mais pour l'essentiel, c'est à travers les yeux et la conscience de Frédéric que le lecteur est témoin des événements du roman.

Frédéric comme regard du narrateur

On passe en douceur de Frédéric/personnage à Frédéric comme regard ou conscience du narrateur. Nous en donnerons deux exemples.

• Au début du roman, le narrateur s'intéresse au départ du bateau et à l'agitation qu'il suscite. Puis le regard s'attarde sur un passager parmi d'autres, remarquable par son âge (dix-huit ans), une allure romantique (album et cheveux longs) et son isolement (il demeure près du gouvernail, immobile, tandis que la foule s'agite). Cette vision tout extérieure s'intériorise lorsque Flaubert nous révèle que le jeune homme « ne savait pas les noms » des édifices. Puis, nous livrant son état civil et le motif de son voyage, Flaubert reprend un point de vue extérieur, mais enrichi des connaissances que s'arroge fréquemment tout romancier. Rien que de très « balzacien », pourrait-on dire, dans cette ouverture.

La deuxième page du roman (p. 20) présente avec une apparente symétrie le spectacle que contemplent les passagers du bateau, et les rêves qu'entretient Frédéric. Il n'y aurait rien d'extraordinaire à ce que le narrateur connût ce qui occupe l'esprit, non seulement de son héros, mais de personnages de rencontre. Un fait cependant éveille l'attention : l'objet du regard et des secrètes aspirations des passagers (maisons bourgeoises qu'ils rêvent de posséder, tranquillité, plaisir, gaieté) s'oppose aux rêves de Frédéric (bohème, exaltation intellectuelle, bonheur, mélancolie), au point que le lecteur soupçonne déjà que les pensées de la foule sont moins dévoilées par un narrateur objectif que devinées par ce jeune homme dédaigneux, qui définit ses aspirations par opposition à celles de la multitude. Plus vraisemblablement, le narrateur se rend déjà complice des pensées et du regard de son héros.

• Après la première invitation à dîner chez les Arnoux, Frédéric rentre chez lui à pied (pp. 68-69). Il semble, à la première lecture, que Flaubert décrit tantôt le paysage, tantôt les pensées de son héros. La réalité est plus subtile. Si, à deux reprises, on paraît oublier Frédéric au profit du décor, c'est que lui-même avait perdu le sentiment de son existence (« Il se reconnut au bord des quais » et « Il s'était arrêté au milieu du Pont-Neuf ») ; c'est au moment où il se retrouve lui-même qu'il est rendu au lecteur.

Il y a plus subtil encore. Se demandant « s'il serait un grand peintre ou un grand poète », il se décide aussitôt pour la peinture. Le lecteur s'avise alors que les quais de la Seine ont été décrits par masses, volumes et couleurs, comme si cette description était due déjà à un peintre en puissance : il n'y a pas le paysage d'une part, la résolution de Frédéric d'autre part, mais une résolution inscrite dans le paysage. Ici encore, nous ne dirons pas que Frédéric décrit les lieux, mais que le narrateur se rend docile et comme transparent à l'état d'âme de son héros.

Un esprit distingué ?

Tout n'est pas a priori négatif chez ce jeune homme qui rêve d'être « le Walter Scott de la France » (p. 31), qui montre une réelle soif de culture (pp. 208-209) et témoigne, devant les êtres et les choses, d'une sensibilité supérieure à celle de son entourage. S'il en était autrement, il ne fournirait qu'un médiocre intermédiaire entre le narrateur et le monde, et *L'Éducation* aurait moins de mérites. Il faudra attendre le xxe siècle et des formes romanesques toutes différentes pour qu'une grande œuvre se fasse entendre au travers d'une conscience primaire ou mutilée (*L'Étranger* de Camus ou *Le Bruit et la fureur* de Faulkner).

Outre que son apparence physique lui vaut tous les succès possibles et que sa fortune suscite bien des jalousies (ce qui ne saurait lui être compté comme vertus), Frédéric montre plus de discernement que ses compagnons dans ses goûts artistiques et, en politique, un bon sens supérieur à la moyenne. « Quelle turpitude ! » s'écrie-t-il devant les grotesques allégories de Pellerin (p. 328), et, lors de la réunion du *Club de l'Intelligence*, sa réflexion : « Personne ne comprend ! » (p. 337), interrompant le discours du patriote espagnol, doit à l'exaltation imbécile des républicains d'être aussi mal accueillie.

Lâche et prétentieux

Mais si Flaubert ne se flattait guère en s'identifiant à Emma Bovary, il se montre plus ouvertement masochiste dans *L'Éducation* en s'offrant à des rapprochements avec un héros, moins sot qu'Emma peut-être, mais (ne serait-ce que par son sexe) plus aisément identifiable à son créateur. Car des deux plateaux de la balance, celui des défauts pèse finalement plus lourd que celui des qualités.

Limitons d'abord le parallèle qu'on pourrait tracer entre Emma et Frédéric. Tous deux sont des rêveurs victimes de leurs lectures, mais le « bovarysme » consiste à imaginer, en conformité avec les clichés contenus dans les livres, un autre bonheur que celui que la vie nous présente ; le « péché » de Frédéric est au contraire de ne pas vouloir du bonheur qui lui tend les bras. Tenons compte de la différence de sexe et de fortune qui détermine la destinée des deux héros[1] : il reste qu'Emma rêve sans cesse d'une *autre* vie, tandis que Frédéric déforme par le rêve celle qui lui est offerte.

On jugera que l'inaptitude de Frédéric au bonheur vient surtout de sa prétention, de sa fatuité. Il s'étonne de ne pas connaître la félicité que devrait lui valoir l'« excellence de son âme », sans comprendre que l'excellence n'est pas une donnée, mais qu'elle se prouve. Au contraire d'Emma, toujours entraînée à agir, il se trouve par de béates certitudes conduit à l'inaction. Faute de saisir son destin, il le laisse s'écouler, à l'image de la Seine si souvent présente dans le roman (qu'elle ramène doucement Frédéric vers Nogent ou charrie paresseusement ses eaux à travers Paris). On se tromperait sans doute en mettant

---

1. Emma Bovary meurt d'être adultère et endettée. Imaginez-la riche et « libérée » ; il n'y a plus de « bovarysme », seulement peut-être un « donjuanisme » perpétuellement insatisfait.

au compte de l'indifférence cette inaptitude de Frédéric à réaliser ses désirs : « L'action, pour certains hommes, est d'autant plus impraticable que le désir est plus fort » (p. 193). Il incorpore si bien à lui-même l'objet de son désir (devenant en pensée grand écrivain, grand peintre, révolutionnaire ou amant comblé) qu'il oublie le chemin qui lui reste à parcourir pour l'atteindre.

C'est des événements tissés par le roman, des attitudes ou des pensées des personnages, des symboles (liquides notamment) que se dégage la personnalité de Frédéric plutôt que d'un jugement du narrateur. Celui-ci n'est pourtant pas totalement absent. La lâcheté de Frédéric est, à deux reprises au moins, expressément soulignée : « Toute sa vertu, toute sa rancune sombra dans une lâcheté sans fond » (p. 234) et « Il y a des situations où l'homme le moins cruel est si détaché des autres, qu'il verrait périr le genre humain sans un battement de cœur » (p. 311). Ainsi, si la modernité de Flaubert vient de son art d'éviter le *roman psychologique* (c'est-à-dire un roman où les caractères des personnages semblent prédéterminés par le romancier au point de supprimer toute impression de hasard et de liberté), on voit que cette vertu elle-même a chez lui des limites et que le diagnostic psychologique, voire moral, affleure ici ou là.

▇▇▇▇▇▇ SES ÉCHECS

L'échec professionnel

Le mot même de « profession » paraît incongru s'agissant de Frédéric. Il est spécifié dès la première page du roman qu'il doit retourner à Paris *faire son droit* (Flaubert désignant par l'italique une expression toute faite, un peu ridicule avec ce curieux possessif encore en usage aujourd'hui).

Frédéric apparaît par excellence comme un oisif incapable de vivre autrement qu'en dépensant sa fortune. Se sachant ruiné, il pourrait repartir à l'assaut de Paris avec l'allant d'un Rastignac (voir Balzac, *Le Père Goriot*) : rien de plus étranger à son tempérament. Il n'imagine pas de conquérir Paris du moment où la capitale ne lui est pas offerte au bout de sa fortune. Il lui faut alors travailler à Nogent dans une étude d'avoué, et il n'y montre « ni science ni aptitude » (p. 112). La seule façon que Flaubert ait de relancer l'intrigue du roman est de le faire hériter (notez du reste que ce coup de théâtre de la page 118, l'héritage de l'oncle du Havre, a été préparé dès la première page ; si Frédéric était à Paris, c'est qu'il revenait du Havre). Avec des hauts et des bas (voir la baisse des actions du Nord, p. 267), cet héritage subviendra, si l'on peut dire, à tous les besoins du roman (le luxe de l'hôtel de la rue Rumfort, les « emprunts » d'Arnoux, les caprices de Rosanette...). On peut l'imaginer considérable : M. Dambreuse proposant à Frédéric de prendre de quarante à soixante mille francs d'actions (près d'un million de francs actuels), il suffirait à Frédéric de vendre une ferme pour y subvenir (p. 214).

Quant à le faire fructifier, il n'en est pas question. Frédéric laissera sans suite les offres que lui fait Dambreuse de faciliter son entrée au Conseil d'État (p. 184), et perdra le bénéfice d'autres ouvertures par simple négligence, dédaignant de se présenter à un rendez-vous (p. 215). Il se révélera en fin de compte incapable de seulement gérer ce capital tombé du ciel : à la fin du roman, « ayant mangé les deux tiers de sa fortune, il vivait en petit bourgeois » (p. 456).

« Le travail est ce qui rabaisse l'homme (écrivait Flaubert à Ernest Chevalier à l'époque où il commençait son droit, le 30 novembre 1841). Les sots prétendent que c'est la gloire, mais pour moi, c'est bien le signe de la malédiction divine, – la marque d'une décadence. » On imagine comment il lui suffisait d'hypertrophier ses propres inclinations à la paresse pour concevoir celle de Frédéric. Mais s'il a. projeté sur son personnage sa propre répugnance pour le droit et son médiocre intérêt pour les affaires, il l'a imaginé également paresseux dans des domaines plus inattendus, comme celui de la création artistique.

L'échec artistique

Que le travail rabaisse l'homme, comme il l'affirmait à vingt ans, Flaubert ne pourra le répéter à propos de sa carrière littéraire ! Il sera, nous l'avons dit, un vrai forçat de la création, et voilà qui suffit à marquer l'immense distance qui le sépare de Frédéric.

Nous avons montré les différences qui séparent Frédéric et Emma Bovary. De celle-ci, Flaubert disait qu'elle était « plus sentimentale qu'artiste ». Sur ce point au moins, Frédéric lui ressemble, entendez que comme elle, il se laisse aller à ses sentiments sans savoir les raisonner, les dominer, à plus forte raison les faire déboucher sur une œuvre d'art. Au reste, puisque *sentimental* a une acception péjorative dans le cas d'Emma, l'épithète a chance d'avoir le même sens dans le cas de l'éducation *sentimentale* de Frédéric : il faut entendre par là une éducation mièvre, incomplète, le contraire d'*artiste* en somme.

Revenons, à titre d'exemple, à ce passage où, sortant de chez les Arnoux, Frédéric décide d'être peintre (p. 69) : en un instant, il passe de l'émotion que lui donne sa vision du Paris nocturne au bonheur qu'il y aurait à exercer la peinture auprès de la bien-aimée. Sont annulées les étapes intermédiaires, qui sont pour Flaubert l'essentiel et par quoi se définit l'artiste : le labeur acharné qui transfigurera l'émotion dans un style.

Il entre beaucoup de naïveté dans les ambitions de peintre de Frédéric. Ignare en la matière (s'il admire les « caprices à la plume » de Pellerin, c'est parce qu'il ignore les maîtres qui lui ont servi de modèles, p. 56), il s'achète, comme un bon écolier ou comme un nouveau riche, tout le matériel voulu dès qu'il a pris sa résolution (p. 69). Puis sa vocation s'enlise sans même que le narrateur ait besoin de le souligner, comme s'il allait de soi que les résolutions fussent faites pour n'être pas suivies.

Ses ambitions littéraires apparaissent plus encore comme de simples velléités. Il se repaît des aventures de héros romantiques (Werther, René, Lélia) et compose quelques vers (p. 33), sans plus de suite dans les idées...

ou dans l'inspiration. Quant à l'*Histoire de la Renaissance* qu'il a entreprise, interrompue par une visite de Mme Arnoux, elle ne verra jamais le jour (p. 208). Il en va pour les œuvres d'art comme pour le reste : du moment que Frédéric frôle, à l'*Art industriel* ou dans les salons, ce qu'il prend pour des artistes, il s'imagine que l'essentiel est accompli, alors que tout reste à faire. Parce qu'il possède une certaine délicatesse de jugement, il se croit lui-même artiste, alors que l'art n'est pas fait de séduction et de narcissisme, mais d'un travail ingrat et solitaire. En matière de création littéraire, Flaubert déteste les « robinets » comme Lamartine (lettre à Louise Colet, 16 septembre 1853) : il n'est pour lui d'écoulement que douloureux (« Il faut avoir, avant tout, *du sang* dans les phrases, et non de la lymphe », à la même, 22 avril 1854). Mais son liquide de prédilection, c'est l'encre : « L'encre est mon élément naturel. Beau liquide, du reste, que ce liquide sombre ! et dangereux ! Comme on s'y noie ! comme il attire ! » (à la même, 14 août 1853). En décidant sur les quais de la Seine (p. 69) de sa vocation d'artiste, Frédéric s'abandonne avec griserie à l'écoulement indolore et transparent du fleuve. Il croit appareiller : il ne fait que dériver.

L'échec politique

S'il cultive dès l'enfance des dispositions artistiques, Frédéric n'éprouve en revanche aucun penchant inné pour la politique. La première manifestation à laquelle il assiste (pp. 45 et suiv.) le prend au dépourvu, et il n'y intervient qu'à titre humanitaire, pour secourir Dussardier. Les tirades républicaines de Sénécal ou Regimbart le laissent de marbre. Quand, enfin, un billet de Deslauriers l'appelle le 22 février 1848 à la réunion qui prélude à la chute du régime, il est tout à son rendez-vous avec Mme Arnoux : « Oh ! je les connais, leurs manifestations. Mille grâces ! j'ai un rendez-vous plus agréable » (p. 303). On n'imaginerait pas d'esprit moins engagé. Sa réflexion au crépitement de la fusillade du boulevard des Capucines : « Ah ! on casse quelques bourgeois » (p. 311) serait inquiétante venant d'un militant socialiste : de sa part, elle est simplement détestable, traduisant le dilettantisme et le snobisme intellectuel d'un jeune bourgeois qui réagit suivant les modes.

Si Frédéric est mêlé à la Révolution de 1848, Flaubert indique assez clairement qu'il ne peut faire autrement : « Frédéric s'arrêta forcément à l'entrée de la place » (p. 312), et sa première fureur, quand un homme tombe en râlant sur ses épaules, vient de ce que lui-même aurait pu être tué à sa place (p. 316). À partir de cet incident se développera la vision des événements révolutionnaires par Frédéric comme si, ayant risqué d'être tué, il devenait une victime révolutionnaire en puissance, il va désormais se porter solidaire des pires excès des émeutiers, réagissant avec humeur aux réflexions désabusées de Hussonnet (p. 317), pour finir par ce mot historique : « Moi, je trouve le peuple sublime » (p. 319). C'est un incident plus anodin qui va le pousser à faire carrière pendant les premiers mois de la République : Delmar, son rival auprès de Rosanette, se portant candidat aux élections, Frédéric, « pour le mortifier », lui notifie sa propre candidature (p. 329). Ainsi se trouve-t-il mêlé à cette absurde séance du *Club de l'Intelligence*, d'où il est exclu pour n'avoir pas partagé l'exaltation générale et qui met un point final à sa brève carrière.

En se tenant à l'écart des journées de juin et en vivant le coup d'État de Louis-Napoléon Bonaparte à travers la vente aux enchères du mobilier de Mme Arnoux, Frédéric donne la mesure de son désengagement. Son exclamation de la page 400 : « Le peuple est mineur, quoi qu'on prétende », répondant au « mot historique » de la page 319, mesure la versatilité de ses convictions. Au moins son indifférence l'entraîne-t-elle à l'opposé du fanatisme politique, ce dont Flaubert ne pourrait que le louer. Au « Frédéric, béant, reconnut Sénécal », succède en effet, sans transition, le « Il voyagea » (p. 450), comme si la scène absurde et tragique à laquelle il vient d'assister (l'un de ses amis qui en égorge un autre) déclenchait cette fuite vers l'indifférence, loin de ce qui agite les passions de ses contemporains.

Au dernier chapitre, à l'occasion du bilan, la politique elle-même se verra, si l'on peut dire, régler son compte.

On y éclaircit en effet le mystère de la « tête de veau », énigmatique réunion de conjurés à laquelle Frédéric s'était vu convié (voir p. 386) : il s'agissait d'une cérémonie parodique prouvant, de l'aveu même de Deslauriers, que « la bêtise est féconde » (p. 457). Ainsi les deux amis, revenus de tout, dégonflent-ils une baudruche supplémentaire. Frédéric échoue en politique autant qu'ailleurs ; au moins lui reconnaîtra-t-on (du point de vue de Flaubert) le mérite de n'avoir été une dupe que fort éphémère.

L'échec sentimental

C'est l'échec principal de Frédéric puisque sa réussite matérielle et artistique ne paraissent l'intéresser que dans la mesure où elles lui permettront le bonheur en amour. Frédéric connaît au cours du roman deux succès féminins marquants (Rosanette et Mme Dambreuse), mais aucun ne l'intéresse vraiment : seul lui importe en définitive l'amour de Marie Arnoux. La nécessité de mise en œuvre du désir apparaît ici de manière plus subtile que dans les autres domaines (artistique, par exemple). S'il faut, en effet, que nous tenions notre désir à distance, que nous mesurions l'écart qui nous sépare de lui pour nous donner les moyens de le franchir, Mme Arnoux, dira-t-on, est justement fort distante de Frédéric. Oui et non. « Est-ce qu'elle ne faisait pas comme la substance de son cœur, le fond même de sa vie ? » écrit Flaubert (p. 435). Elle *fait partie* de Frédéric tout en lui étant *inaccessible* : entre ces deux impressions limites, qui conduisent fatalement à l'échec, Frédéric ne mesure jamais la distance, réelle mais franchissable, qui assurerait sa conquête. On pensera non sans raison qu'il se satisfait fort bien de ce va-et-vient (possession tantôt rêvée, tantôt abandonnée parce qu'impossible) parce qu'il a l'intuition que seule cette indécision assurera pérennité à son amour. Un obscur pressentiment le persuade qu'il n'est de passion qu'idéale, et, s'il ne refuse pas *consciemment* de faire de Mme Arnoux sa maîtresse, on peut lui prêter ce que les psychanalystes nomment une « conduite d'échec », c'est-à-dire l'inconsciente volonté d'échouer.

Du moment où Frédéric a d'autres maîtresses, son échec auprès de Mme Arnoux devient plus que jamais iné-vitable. On notera qu'il n'envisage plus vraiment de la pos-séder dès que Rosanette la remplace dans le lit qu'il lui destinait (fin de la deuxième partie). Ce passage décisif du roman consacre en effet de façon définitive la dissociation de l'amour et du plaisir : devenu l'amant de Rosanette, Frédéric salirait d'autant plus cette madone qu'il a eu d'emblée peur de profaner. L'échec sentimental sera consommé tout au long de la troisième partie par un écart grandissant entre des satisfactions sensuelles toujours plus dérisoires et une passion toujours plus idéale.

Notons, enfin, cette coïncidence qui rend l'enfant de Mme Arnoux malade le jour où elle a accepté de retrouver Frédéric dans la rue. Sans ce hasard, dit-on souvent, elle devenait sa maîtresse : autant qu'indécis, Frédéric est mal-chanceux. C'est oublier qu'elle ignore le plan saugrenu de Frédéric : « Il espérait que, grâce à la pluie ou au soleil, il pourrait la faire s'arrêter sous une porte, et qu'une fois sous la porte, elle entrerait dans la maison » (p. 302) – entendez l'hôtel meublé où il a loué une chambre. Supputer ce qui se serait passé si l'enfant n'avait pas été malade reviendrait à récrire le roman. En revanche, se de-mander avec quel dessein Flaubert prête ce plan à Frédéric est une vraie question. Or, ce plan trahit, selon nous, la maladresse d'un timide passant résolument à l'ac-tion : comment la très bourgeoise Mme Arnoux accepte-rait-elle d'être ainsi traitée en femme de petite vertu ? On peut imaginer des procédés plus galants. Loin d'empêcher que Mme Arnoux devienne la maîtresse de Frédéric, la maladie de son enfant permet qu'elle lui demeure atta-chée... et que le roman continue.

▮▮▮▮▮ LA GRANDE PASSION

Femme réelle ou apparition ?

Mme Arnoux donne sa durée au roman puisque celui-ci commence pratiquement avec son apparition sur le bateau ; l'ellipse qui se situe entre les chapitres 5 et 6 de la troisième partie coïncide avec la longue période où Frédéric cesse de la voir ; le récit reprend en mars 1867, quand elle pénètre dans le cabinet de Frédéric, pour s'arrêter ensuite, à un chapitre de conclusion près. Mais quels moyens Flaubert nous donne-t-il de la connaître ?

Dans *Madame Bovary*, Emma apparaissait comme une femme inaccessible aux yeux de Léon, mais le lecteur pénétrait suffisamment dans son intimité pour deviner très vite que cette hauteur n'était qu'une apparence. Dans *L'Éducation sentimentale*, on a du mal à démêler dans la fidélité conjugale de Mme Arnoux la part qui revient à sa vertu et celle qui revient à la timidité de Frédéric. On serait tenté de voir en elle une nouvelle Emma, déçue par le mariage, romanesque, et ne franchissant pas le pas de l'adultère parce qu'au lieu d'avoir affaire à un jeune homme entreprenant, elle rencontre une âme pareillement romanesque que l'amour paralyse. Entre ses deux héroïnes, Flaubert a du moins mis la distance de l'amour maternel : ses enfants constituent pour Mme Arnoux un frein que la fille de Mme Bovary n'était nullement. On notera en tout cas la marge d'indétermination dont s'entoure cette figure de madone (elle se prénomme Marie), apparaissant de manière quasi religieuse aux yeux de Frédéric, sans qu'on sache si elle est un ange de vertu ou une médiocre bourgeoise qu'on convaincrait aisément de succomber à la tentation.

Au plan physique même, on se la représente difficilement. « Elle est la seule des femmes de Flaubert qui non seulement nous soit donnée pour vraiment belle, mais que nous ne puissions imaginer autrement que belle » (A. Thibaudet). Voire ! Rien ne dit que sur le bateau, les autres passagers sont sujets au même éblouissement que Frédéric. À la vision confite en dévotion de Frédéric font contrepoids les aperçus égrillards de Jacques Arnoux (pp. 195, 208 et 346). « Elle passe pour très jolie », dit Mme Dambreuse (p. 212). Mais Deslauriers la trouve « pas mal, sans avoir pourtant rien d'extraordinaire » (p. 79) et Rosanette la décrit en ces termes : « Une personne d'un âge mûr, le teint couleur de réglisse, la taille épaisse, des yeux grands comme des soupiraux de cave, et vides comme eux ! » (p. 443). Le dépit de Deslauriers et la jalousie de Rosanette jouent sans doute un rôle de miroir déformant, mais l'amour n'est-il pas aussi aveugle ? Hormis Frédéric, elle ne reçoit d'ailleurs guère d'hommages masculins, sinon de politesse. Imaginons par jeu une adaptation cinématographique du roman : on pourrait choisir pour tenir son rôle une actrice de beauté médiocre qui éblouirait le seul Frédéric, sans que le sens général de l'œuvre s'en trouve altéré [1].

Amour ou obsession ?

Le roman commence pratiquement avec l'apparition de Mme Arnoux sur le bateau ; il s'achève peu après sa disparition de la vie de Frédéric. À la limite, il pourrait s'intituler *Madame Arnoux*. Mais pour mesurer l'importance d'un personnage au sein d'une œuvre, on peut retenir d'autres critères, notamment la fréquence de ses apparitions ou le nombre de fois où son nom est mentionné. Partant de ces principes, on s'exposerait à une fausse appréciation de la présence obsédante, presque exclusive de Mme Arnoux dans la conscience de Frédéric. Souvent, en effet, si elle n'est pas nommée, c'est qu'il va de soi qu'elle occupe sa pensée. Nous en prendrons trois exemples :

• De retour à Paris, Frédéric erre sur les boulevards. « De l'autre côté, en face, il lut sur une plaque de marbre : JACQUES ARNOUX. Comment n'avait-il pas songé à elle, plus tôt ? » (p. 38) D'un point de vue rigoureusement grammatical, il semblerait que « elle » désigne Jacques Arnoux ; il faut admettre en réalité que le nom d'Arnoux renvoie automatiquement à la femme aimée, le mari perdant en l'occurrence toute existence.

---

1. Alexandre Astruc a tourné en 1961 *Éducation sentimentale*, où la belle Marie-José Nat tenait le principal rôle féminin. Mais en omettant l'article qui figure dans le titre du roman, Astruc indiquait de toute façon quelles distances il prenait avec l'œuvre de Flaubert.

• Ayant perdu la trace des Arnoux, Frédéric se met en quête de Regimbart, pilier de cabaret qui saura lui indiquer leur adresse.

> Venez-vous la prendre ? dit Regimbart.
> – Prendre qui ?
> – L'absinthe ! (p. 59-60).

Quiproquo comique qui n'est pas explicité par Flaubert, mais le lecteur a compris : tandis que pour Regimbart, « la » ne peut désigner que l'absinthe, le pronom pour Frédéric désigne forcément une personne, on devine laquelle.

• Pour se donner une contenance auprès d'Arnoux, Frédéric imagine de lui faire croire qu'il a une maîtresse. « Mais l'histoire pouvait *lui* être racontée » (p. 94). À quoi renvoie ce *lui* ? Songez que Mme Arnoux n'a pas été mentionnée depuis la page 89 ! Admettre que le pronom la désigne sans ambiguïté, c'est supposer qu'elle n'a guère quitté la conscience de Frédéric pendant ces six pages.

Au-delà de ces exemples, plusieurs scènes prouvent l'omniprésence de la femme aimée pour qui sait lire entre les lignes. Ainsi, à la fin de la deuxième partie, si Frédéric pleure dans les bras de Rosanette, la raison qu'il en donne est suspecte (« Il y avait trop longtemps que je te désirais », p. 311) : ses larmes sont plutôt dictées par l'amertume qu'on peut éprouver à faire l'amour avec une femme quelconque dans la chambre destinée à celle qu'on aime. « Est-ce qu'elle ne faisait pas comme la substance de son cœur, le fond même de sa vie ? » interroge le narrateur (p. 435) ; quand on existe à ce point pour l'autre et par l'autre, les mots « penser à » et « aimer » deviennent trop faibles. On ne s'étonnera donc pas que la chronologie du roman soit modelée, ne disons pas sur les apparitions de Mme Arnoux, mais sur ses possibilités d'apparition : absente, elle est consubstantielle à Frédéric et donne sens à sa vie ; quand elle cesse d'être en mesure d'apparaître, tout n'est plus que vanité.

Amour ou fétichisme ?

Parler de sens est pourtant bien dérisoire. Cette dérision, qui vaut pour l'Histoire, vaut aussi pour l'Amour. À la limite, la « grande passion » de Frédéric est une grande imposture. *Qui* aime-t-il au juste ? Sur le bateau déjà, l'apparition est surtout caractérisée par ce qui l'entoure (sa négresse, son enfant, ses vêtements, son panier à ouvrage...). Être immatériel, Mme Arnoux inspire au jeune Frédéric moins le désir qu'une singulière curiosité (p. 23). Tout le roman durant, ses vêtements ressortiront au moins autant que sa personne. C'est « un bas de robe » que Frédéric entrevoit pour la première fois à l'*Art industriel* (p. 59), et à la fête de Saint-Cloud, il remarque d'abord ses « petites chaussures découvertes, en peau mordorée, avec trois pattes transversales, ce qui dessinait sur ses bas un grillage d'or » (p.101). Sans doute les toilettes de l'époque, ne révélant de la jambe que l'extrémité, conféraient-elles au pied un pouvoir érotique difficilement imaginable aujourd'hui ; mais il est à noter que c'est à l'obstacle du désir que s'arrête le regard de Frédéric, comme s'il craignait de profaner son amour. Il ne pouvait, précisera Flaubert ailleurs, se la figurer autrement que vêtue (p. 89). À l'avant-dernier chapitre encore, il lui avoue : « La vue de votre pied me trouble » (p. 454). À force d'aimer ces vêtements que sa timidité érige en barrières, il verse dans une sorte de fétichisme, souhaitant se transformer en ce mouchoir de batiste avec lequel elle sèche ses larmes (p. 191) ou passer ses mains sur sa fourrure (p. 209).

Autre indice de la distance que Frédéric maintient à son égard : il a fallu longtemps pour qu'il l'appelle par son prénom (« Il l'appelait "Marie" », p. 298) ; mais lorsqu'elle apparaît sur le seuil de son cabinet à l'avant-dernier chapitre, son exclamation spontanée est : « Madame Arnoux ! », comme si les moments d'intimité n'avaient été qu'un intermède, et que dans le souvenir de Frédéric, ce fut naturellement la femme mariée et lointaine qui eût repris le dessus. Mme Bovary était « Emma » pour ses amants. « Bovary, ce n'est même pas votre nom », s'emportait

Rodolphe avec jalousie. Frédéric accepte pleinement, jusque dans le nom qu'il lui donne, d'aimer une femme mariée.

L'attrait de l'Orient

L'ambiguïté du roman vient de ce que Flaubert ne dit pas s'il faut louer la chasteté de Frédéric ou railler son éternelle crainte d'adolescent. Si l'on incline vers la seconde hypothèse, c'est en vertu d'une ironie en demi-teinte, mais aussi des *signes* mêmes auxquels s'attache le fétichisme de Frédéric. Car s'il est sensible à la peau brune et aux bandeaux noirs que forment les cheveux de Marie, à sa négresse, à la silhouette qu'elle découpe à l'avant du bateau (au point de la voir créole venue des îles), s'il remarque d'autre part ses gestes maternels, c'est qu'il est d'emblée disposé à aimer un certain type de femme : l'Orientale nimbée de mystère, mais aussi la femme douce et protectrice, substitut de la mère. Mme Arnoux est conforme à un modèle littéraire et artistique (« Elle ressemblait aux femmes des livres romantiques », écrit Flaubert un peu plus loin, p. 27). Donnons son sens religieux au mot « apparition » : la Vierge apparaît à ceux qui, habités par la Grâce, sont en état de l'accueillir ; de même la religion romantique de Frédéric le prédispose-t-elle à *voir* Mme Arnoux. Mais cette religion, Flaubert entend la démystifier.

Au dernier chapitre, en effet, on apprend que dans la maison close qui figure le plus beau souvenir d'enfance de Frédéric et Deslauriers, la Turque devait à son nom (Zoraïde Turc) de passer pour orientale. Pas plus turque, en somme, que Mme Arnoux n'est créole (on apprendra chemin faisant qu'elle est de Chartres !). L'Orient est dans la tête de Frédéric, le romantisme dans son imagination. La Turque était inaccessible à l'enfant naïf et peureux, l'« apparition » le sera pour le jeune homme rêveur. L'une et l'autre étaient pourtant faciles à prendre. Mais la maison close devait rester close pour garder sa magie, et la grande passion demeurer chaste pour n'être pas brisée.

Une passion partagée

Mme Arnoux est d'abord une apparition, un fantôme littéraire. Cette vérité appelle pourtant des nuances. À quelques indices, le lecteur soupçonne que la passion de Frédéric est partagée : ainsi quand Mme Arnoux est soulagée d'apprendre qu'il n'a pas Rosanette pour maîtresse (p. 198) ou quand elle aspire, sur le seuil de sa maison, la fleur que Frédéric lui a donnée (p. 211) ; nous savons dès lors, grâce à ce geste, qu'elle aime Frédéric ; mais elle ne le sait pas encore. Elle n'aura conscience de son amour que lorsque Deslauriers lui fera croire que Frédéric va se marier ; ébranlée par sa révélation, elle doit se rendre à l'évidence : « Mais oui, je l'aime !... je l'aime ! » (p. 272). Cette scène est surprenante dans la mesure où elle est la seule importante du roman à se passer tout entière à l'insu de Frédéric, comme si Flaubert avait jugé intolérable qu'à un point aussi avancé de l'intrigue, nous puissions demeurer ignorants d'une donnée fondamentale du roman. Or, si nous avions dû demeurer tributaires de la conscience de Frédéric, nous aurions dû attendre longtemps pour être fixés ! Ainsi, pour empêcher qu'un personnage capital ne demeure une simple « apparition », Flaubert a-t-il dû transiger avec cette unité de perspective à laquelle la logique de l'œuvre lui commandait de se tenir.

L'avant-dernier chapitre aurait éclairé notre lanterne, puisque Mme Arnoux confie à Frédéric à quel moment elle a compris qu'il l'aimait (p. 453). À ce stade du roman, en effet, le risque de l'adultère s'étant éloigné, le temps des aveux sans retenue est arrivé. Mais Flaubert n'a pas pris le risque de laisser aussi longtemps dans le flou l'indécise apparition du premier chapitre.

Infiniment moins importants, même s'ils sont vus eux aussi grâce à son regard, les autres personnages du roman composent avec plus de netteté que la femme aimée une fresque sociale ; ils sont les représentants de cette « génération » que Flaubert a voulu peindre.

5 L'histoire d'une génération

████ JACQUES ARNOUX

Un homme d'affaires

La grandeur et la décadence de Jacques Arnoux pourraient en faire un personnage balzacien. À l'image de son journal, au titre révélateur (*L'Art industriel*), il appartient au domaine de l'art et de l'industrie ; mais quand on sait à quel point Flaubert croyait à l'Art pur et quelle vocation sacerdotale il assignait à l'artiste, ce mélange a quelque chose de suspect. Il n'empêche que, comme dans *Illusions perdues* de Balzac, quoique de façon plus allusive, le lecteur de *L'Éducation* a une idée des contingences matérielles, voire des compromissions auxquelles sont soumis les créateurs. La vocation artistique d'Arnoux est assez malléable pour changer d'objet au gré des circonstances : « On peut mettre de l'art partout », affirme-t-il quand il se reconvertit de la promotion de la peinture à la fabrique de faïences (p.129). Il apparaît certes moins comme un gestionnaire que comme un artisan ambitieux (ainsi voudra-t-il retrouver en poterie « le rouge des Chinois »). Mais cette activité de touche-à-tout est trop ouvertement guidée par l'intérêt. Manquant d'envergure et d'imagination créatrice, il ira de difficultés en difficultés, pour finir « marchand de chapelets ». Sa grandeur et sa décadence se mesurent à ses changements de domicile : il déménage de la rue de Choiseul (près de l'actuel Opéra) à la rue Paradis-Poissonnière, puis abandonne la rive droite pour la rue de Fleurus, avant de finir misérablement en Bretagne.

Les zones d'ombre

Pourtant, si Balzac avait présenté le même personnage, nous n'aurions rien ignoré des causes précises de sa réussite et de sa chute. Flaubert, dont nous avons vu qu'il ne rechignait pas aux informations de détail, laisse ces réalités économiques dans l'ombre, sans doute parce qu'elles ne l'intéressent pas en tant que telles, mais aussi parce qu'Arnoux apparaît ainsi au lecteur comme il apparaît à Frédéric et à son entourage.

Que sont ces « tripotages » auxquels il se livre avec Regimbart (p. 256) ? Du moment que les deux hommes chuchotent, nous n'en savons rien, et ce flou, loin de nuire à la vérité du personnage, lui donne au contraire une profondeur intéressante. Sa psychologie n'est pas figée par une appréciation du narrateur : elle se révèle par petites touches au travers des jugements que les autres portent sur lui ; « bon garçon » ou « charlatan » (p. 56), taré, indélicat, truqueur, menteur aux yeux de partenaires plus inspirés par la rancœur que par l'équité, il est considéré comme « borné et rétrograde » par Sénécal (qui n'est pas un modèle d'ouverture d'esprit) et comme un « pauvre garçon » par M. Dambreuse (qui apprécie sans doute davantage les filous d'envergure). Telle est l'inconsistance de la plupart des personnages du roman que les jugements qu'ils portent les uns sur les autres s'annulent, favorisant l'indécision du lecteur.

Ces mêmes incertitudes valent pour la vie sentimentale d'Arnoux. « Adieu, homme heureux ! », lui lance la Vatnaz (p. 55), bien placée pour connaître ses bonnes fortunes. Mais jusqu'où s'étendent ces conquêtes ? Qu'il soit l'amant de Rosanette est un soupçon qui grandit (suivant la perspicacité du lecteur) avant de devenir une certitude. Plus ambiguë est son attitude vis-à-vis de Frédéric ; d'autres seraient jaloux d'une telle assiduité auprès de leur femme ; son détachement vient-il d'une totale confiance à l'égard d'un jeune homme naïf et timide ? ou l'amour de Frédéric pour sa femme donne-t-il un alibi opportun à ses fredaines ? À mesure qu'avance le roman, une autre interprétation s'impose, que confirme sa demande d'argent à Frédéric : « Ma femme se joint à moi... » (p. 206). À n'en pas douter, Arnoux joue de la grande passion de Frédéric pour lui extorquer de l'argent. Mais il est conforme au génie de Flaubert que cette certitude se dégage des événements eux-mêmes, non d'une affirmation du narrateur. Généreux en apparence et subtilement quémandeur : tel paraît être l'un des traits fondamentaux du caractère d'Arnoux, symbolisé par l'une de ses premières attitudes dans le roman : quand le harpiste fait la quête sur le bateau, Arnoux fouille dans sa poche, mais c'est Frédéric qui allonge un louis d'or (p. 24). De façon moins visible, cette situation se reproduira tout au long du roman.

Un modèle pour Frédéric

C'est pourtant en tant que mari de la femme aimée qu'Arnoux retient d'abord l'attention. Sur le bateau, Frédéric l'aperçoit d'emblée, maniant sur la poitrine d'une paysanne une croix d'or (une de ces croix qu'il finira par vendre au terme de sa déchéance !) ; à plus forte raison fascinera-t-il Frédéric quand il se révélera l'époux de l'« apparition ». Par son aisance (« Il avait voyagé, il connaissait l'intérieur des théâtres... »), sa renommée (*L'Art industriel* est connu jusqu'à Nogent), son âge (la quarantaine avantageuse), il dispose de tout ce dont peut rêver un jeune homme qui débute dans la vie. Tout le roman durant, il sera celui qui rejoint Mme Arnoux chaque soir dans ce qui apparaît à Frédéric comme un saint des saints inaccessible. Magiquement, pour prendre en quelque sorte sa place, Frédéric s'inventera des ressemblances avec lui (voir p. 195). Qu'il éprouve à son égard de la fascination plutôt que de la jalousie confirmerait que son amour pour Mme Arnoux est coupé de toute vraie soif de conquête. Puisque Frédéric aime tout ce qui « entoure » Mme Arnoux (ses vêtements, sa négresse, ses enfants), il est normal que son époux lui-même profite des retombées de cette passion profonde, mais indécise. Quand Frédéric se bat en duel pour venger l'honneur des Arnoux (II, 4), on ne saurait démêler si c'est la femme ou le mari qu'il défend : c'est au fond tout un.

En vertu d'une des multiples dérisions du roman, Frédéric se conformera pour finir à l'idéal qui l'a séduit chez Arnoux : le « Il voyagea. Il connut la mélancolie des paquebots » de l'avant-dernier chapitre fait écho au « Il avait voyagé » du premier. Mais c'est par désœuvrement, non par volonté, qu'il accomplit ainsi cette enviable destinée.

▰▰▰▰ ROSANETTE

Une lorette

Au début du roman (p. 43), le lecteur ne prête guère attention à cette jeune fille blonde aux paupières rougies qui vient s'asseoir dans la loge d'Arnoux. Il s'agit de Rose-Annette Bron, qui donnera plus tard un bal masqué où elle-même apparaîtra en Maréchale, ce qui lui vaudra de garder ce surnom. « Une bonne fille ! » assure Arnoux, qui sait de quoi il parle. Une fille facile en tout cas, le type même de la lorette. On nomma ainsi à partir de 1840 environ des femmes entretenues, que leurs amants installaient souvent dans le quartier de Notre-Dame-des-Lorettes (un peu au nord de la Chaussée d'Antin). Jacques Arnoux, le banquier Oudry, d'autres encore ont contribué à l'établissement de Rosanette : un établissement assez somptueux pour que son bal masqué figure pour Frédéric la tentation du luxe et du plaisir (voir p. 148).

Comme d'ordinaire chez Flaubert, le personnage n'est pas d'emblée décrit. Elle est d'abord fondue, presque anonyme, dans le tourbillon du bal. On découvrira progressivement sa fraîcheur, sa taille, et Arnoux, qui ne pêche pas par excès de délicatesse, vantera ses cuisses (p. 346), qui n'ont du reste pas de mystère pour grand-monde si on en juge par une réflexion du baron de Comaing (p. 246). Il faudra pourtant le tête-à-tête avec Frédéric à Fontainebleau pour que le lecteur ait d'elle une description précise : « Il contemplait son petit nez fin et blanc, ses lèvres retroussées, ses yeux clairs, ses bandeaux châtains qui bouffaient... » (p. 356). C'est à la table du dîner, devant un copieux menu, qu'elle est ainsi détaillée, et ce n'est pas par hasard. Au fil du roman, on la surprend plusieurs fois en flagrant délit de gourmandise. Le dernier chapitre la révèle « très grosse maintenant, énorme » (p. 456).

On découvrirait facilement dans cette perpétuelle fringale de Rosanette (son « oralité », dirait un psychanalyste) l'indice d'une insatisfaction profonde. « Je te mangerais ! » dit-elle à Frédéric (p. 384). C'est seulement vers la fin du roman que cette fille dépourvue de la moindre instruction (elle situe le Liban en Chine et n'a jamais entendu parler de Diane de Poitiers) racontera à Frédéric son enfance malheureuse. Cette confession jette un jour rétrospectif sur toute son histoire. On pourrait alors comparer sa destinée à celle de l'héroïne de *Nana*, le roman d'Émile Zola, fille d'un ouvrier alcoolique, jetée par la misère dans le monde du vice et de l'apparence. Mais l'esthétique de Flaubert ne se donne pas pour but, comme plus tard le *roman naturaliste* de Zola, d'émouvoir la sensibilité du lecteur et d'expliquer l'engrenage d'une déchéance : le drame de Rosanette n'apparaît qu'en filigrane. Son désir éperdu d'être mère ajoute une dernière touche à ce portrait qui frôle l'émotion sans y céder.

L'amour charnel

À l'époque où, revenu à Paris plein de fortune et de projets, Frédéric semble se partager entre Mme Arnoux et Rosanette, une réflexion du narrateur peut surprendre par l'équilibre qu'elle institue entre les deux : « La fréquentation de ces deux femmes faisait dans sa vie comme deux musiques : l'une folâtre, emportée, divertissante, l'autre grave et presque religieuse ; et, vibrant à la fois, elles augmentaient toujours, et peu à peu se mêlaient ; – car, si Mme Arnoux venait à l'effleurer du doigt seulement, l'image de l'autre, tout de suite, se présentait à son désir, parce qu'il avait, de ce côté-là, une chance moins lointaine ; – et, dans la compagnie de Rosanette, quand il lui arrivait d'avoir le cœur ému, il se rappelait immédiatement son grand amour » (p. 166).

Rosanette représente pour Frédéric l'amour charnel, c'est-à-dire, dans l'atmosphère idéaliste du roman, l'amour sur le mode mineur. Quand elle nettoie la cage de ses serins et donne de l'eau à ses poissons rouges (p. 383), elle séduit Frédéric par les mêmes gestes attentionnés qu'il a d'abord remarqués chez Mme Arnoux : mais c'est une vertu maternelle dégradée qu'il chérit alors en elle. De même, tandis que sa grande passion incite Frédéric aux entreprises hardies, peinture ou politique (ses résolutions dussent-elles retomber comme un soufflé), Rosanette représente d'un bout à l'autre la tentation de la facilité et de l'inertie : l'idylle vécue avec elle à Fontainebleau pendant qu'on s'égorge à Paris est symbolique à cet égard.

Surtout, si Rosanette représente une consolation pour les sens exaspérés de Frédéric ou un étourdissement passager, elle accuse par contraste son malheur d'être séparé de Mme Arnoux : la sensualité généreusement offerte de l'une évoque l'intouchable vertu de l'autre, la vulgarité de la première accroît la distinction de la seconde. Chaque confrontation entre les deux femmes éclaire la différence qui les sépare : Frédéric a déjà ressenti comme une profanation de voir chez Rosanette le coffret d'argent de Mme Arnoux (p. 285). Avec le sans-gêne qui le caractérise, Arnoux reprend à l'une pour donner à l'autre. C'est en guettant les dépouilles de sa rivale, lors de la vente aux enchères, que Rosanette perdra définitivement Frédéric.

Dire qu'elle le *perd* n'est pas exagéré, car si l'on devine en filigrane le drame social de Rosanette, on peut aussi deviner son histoire sentimentale. Cette lorette, qui est « à vendre » suivant l'expression de Cisy (p. 246), n'aime pas Frédéric pour son argent. « Elle serait morte plutôt que d'en demander à Frédéric », note le narrateur (p. 393). Elle l'aime tout de bon, avec son cœur de lorette, parce qu'elle le trouve joli et gentil. Elle aimera ensuite en lui le père de son enfant. Parmi les échecs de l'existence de Frédéric, il faut aussi compter la trahison de cet amour sincère.

■■■■■ DESLAURIERS

L'inséparable ou l'inévitable ?

Les destinées de Frédéric et de Deslauriers sont présentées comme liées au début du roman ; elles le sont au dénouement. Mais ces retrouvailles consacrent leur échec, leur régression. Leurs tempéraments opposés leur offraient des carrières différentes ; qu'ils se retrouvent pour finir ensemble signifie un retour au point de départ, à la situation de l'enfance.

Le roman se présente de prime abord, suivant un thème répandu au XIXe siècle, comme l'histoire parallèle de deux amis ou de deux frères (voir David et Lucien dans *Illusions perdues* de Balzac, ou *Pierre et Jean* de Maupassant). C'est du reste ainsi que se présentait la première *Éducation sentimentale*. L'opposition physique et morale de Frédéric et Deslauriers leur confère une allure de « types ». Ce genre d'oppositions marquées verse aisément dans le comique (voir Don Quichotte et Sancho Pança), et c'est du reste en accusant cette pente que Flaubert concevra plus tard le couple ridicule de Bouvard et Pécuchet, à la fois différents et inséparables.

Mais ici, très vite, le roman s'engage sur une autre voie. Frédéric prend la vedette, et tout à sa grande passion, il négligera son ami qui occupe, de ce fait, un rôle secondaire dans le roman. De retour du dîner chez les Arnoux, il s'étonne d'entendre quelqu'un ronfler : « C'était l'autre. Il n'y pensait plus » (p. 69). Plus tard, peu soucieux de le présenter à Arnoux qui lui demande qui est ce jeune homme, il a ce mot terrible : « Rien ! un ami ! » (p. 207). Si Frédéric a parfois besoin de le revoir, c'est faute de mieux, pour consoler sa solitude (ainsi p. 266). Cette constatation mesure bien l'échec que représente leur réunion à la fin du roman.

Un ambitieux

La destinée de Frédéric est l'échec d'une passion, celle de Deslauriers l'échec d'une ambition. Une fois admis qu'il prendra pour levier de sa réussite la fortune de Frédéric, Deslauriers se conduit parfois avec le sans-gêne d'un parasite. On pourrait trouver de l'incohérence dans l'attitude de Frédéric, faite de négligences, mais aussi d'une extrême tolérance. L'incohérence est levée si on a présent à l'esprit le pacte qui scelle l'amitié des deux jeunes gens. Ce pacte tolère des infidélités, voire des trahisons, non le manquement à l'essentiel : en agissant avec la fortune de Frédéric comme si c'était la sienne propre, Deslauriers mise sur la foi jurée.

Il y a pourtant bien des accrocs à cette amitié que Deslauriers porte à Frédéric. « Il aimait mieux Frédéric dans la médiocrité, écrit Flaubert. De cette manière, il restait son égal » (p. 293), et pour assouvir sa vengeance contre Mme Arnoux, il provoquera la vente aux enchères qui meurtrit son compagnon. Même désenchantée et souvent mise à mal, leur amitié peut être comptée à la fin comme l'un des rares éléments positifs du roman ; c'est dire à quel point les autres valeurs sont parties à vau-l'eau !

Par son caractère positif, son ambition résolue, Deslauriers se présente comme l'antithèse de Frédéric. La complexité du personnage vient cependant du prestige qu'exerce sur lui son contraire : Frédéric lui en impose par « un charme presque féminin » (p. 270). Lui qui vit avec une femme prosaïque afin qu'elle s'occupe de son ménage envie la passion, même désespérée, de son ami. Dans les invraisemblables scènes qu'il lui fait à propos de son obsession des Arnoux (p. 79), il entre une part de dépit amoureux. Sa fascination pour Frédéric est du même ordre que la fascination de Frédéric pour Jacques Arnoux : il jalouse son aisance, sa distinction, moins faciles à partager que sa fortune. Ce que désire Frédéric devient du même coup désirable. On peut ainsi interpréter la grotesque déclaration d'amour de Deslauriers à Mme Arnoux (II, 5) comme un acte magique par lequel il se substitue à son ami. On apprendra pour finir qu'il a couché avec Rosanette, puis épousé Louise Roque dont Frédéric n'avait pas voulu. Bref, il n'a cessé de ramasser les miettes.

À l'exemple d'Emma Bovary, Frédéric ne désire rien par lui-même, mais se contente de vouloir ce que son époque lui présente comme désirable. À plus forte raison jugera-t-on dérisoire l'idéal de Deslauriers, suspendu aux désirs d'un être lui-même aliéné. Doublement conformiste en quelque sorte.

■■■■■■ MADAME DAMBREUSE

Une apparence

Comme pour la plupart des autres personnages du roman, cette apparence ne va pas sans contradictions puisque celle qu'on appelle « la jolie Mme Dambreuse » (p. 37) n'est « ni laide, ni jolie » (p. 109) quand Frédéric l'aperçoit au théâtre avec son mari. Nous l'avons déjà vérifié : il n'y a pas une essence des êtres, seulement une succession de regards portés sur eux. Tandis que Mme Arnoux, malgré l'importance de ses vertus domestiques, est souvent vue à l'extérieur (sur le bateau, à Creil, dans la rue), Mme Dambreuse est toujours confinée à l'intérieur (au théâtre, dans son salon, dans la salle des ventes) ; à la rigueur, Frédéric aurait-il pu l'apercevoir hors de chez elle la première fois qu'il a rendu visite à son mari, puisqu'elle sortait à l'instant : mais même alors, il l'a aperçue « à l'intérieur de la voiture », dans une « petite boîte capitonnée » (p. 38). De cette boîte s'échappait un parfum d'iris, et curieusement, c'est presque toujours en association avec des fleurs que nous verrons Mme Dambreuse : avec « sa robe de taffetas lilas », elle ressemble à « une fleur de haute culture » (p. 261), et le premier soir de sa liaison avec Frédéric, c'est « par-dessus des fleurs dans une corbeille » (p. 401) qu'elle lui sourit.

Ce sourire ne la quitte pas d'un bout à l'autre du roman, si ce n'est à la mort de son mari (encore est-ce pour faire place à un soupir de soulagement...). Si nous étions dans Proust, chez qui les tics des personnages finissent par déterminer l'apparence physique, on se demanderait si ce n'est pas à son perpétuel sourire qu'elle doit « sa bouche un peu longue » (p. 182). Il fait évidemment partie d'une pose, d'une attitude sociale : « renversée en arrière, avec le bout de son pied sur un coussin » (p. 261), ou se balançant dans son fauteuil (p. 265) ; sur une petite causeuse (p. 395), ou sachant parler à vingt personnes sans en oublier aucune (p. 392), elle est le type même de la mondaine qui sait, par un surcroît de distinction, faire oublier ses modestes origines (voir pp. 236-237).

La troisième tentation de Frédéric

Après Mme Arnoux et Rosanette, elle figure la troisième tentation de Frédéric : la tentation du vrai luxe (Frédéric a été une première fois ébloui par le luxe parisien au bal masqué de Rosanette, mais son « éducation » lui a appris ce qui sépare un divertissement de lorette d'une réunion dans la haute société) ; la tentation du plaisir aussi, d'un plaisir qui ne va pas sans perversité, l'allure distinguée de Mme Dambreuse laissant espérer « des pudeurs dans la dépravation » (p. 395). Cette perversité s'accentue une fois leur liaison commencée : Frédéric alimente son désir en se répétant qu'il a pour maîtresse une mondaine, et il repaît son imagination de l'écart qui sépare ses gestes sociaux de ses gestes intimes (« La convenance de ses manières le faisait rêver à d'autres attitudes », p. 403). Bientôt pourtant, il devra convoquer à son esprit l'image de Mme Arnoux ou de Rosanette pour réactiver son désir (voir p. 404). Ainsi la tentation mondaine ne tarde-t-elle pas à se montrer plus décevante que la tentation de l'idéal ou des sens que représentaient les deux autres femmes.

Quant à deviner le caractère de Mme Dambreuse au-delà de cette apparence à laquelle elle paraît se réduire, quelques traits suffisent à en donner un aperçu féroce : le « quel débarras ! » poussé après la mort de son mari (p. 407) ou son allégresse indécente à la vente du mobilier de Mme Arnoux (p. 445). En faisant de Frédéric l'amant de Mme Dambreuse, Flaubert donne son développement logique à l'arrivisme de son héros, mais il pénètre aussi un peu l'intimité d'une « mondaine » au lieu de limiter son constat à des comportements de surface ; les conclusions sont, c'est le moins qu'on puisse dire, peu réjouissantes.

■■■■ MONSIEUR DAMBREUSE

Comte d'Ambreuse, il a jugé opportun d'abandonner la particule quand il s'est tourné vers l'industrie. Pendant la Monarchie de Juillet, il incline vers le centre gauche, c'est-à-dire qu'il est favorable aux idées de Thiers contre celles de Guizot. Député, immensément riche, il possède à Nogent des intérêts sur lesquels veille le père Roque. Celui-ci joue en outre, pour son compte, le rôle de courtier électoral – autant dire qu'il est expert dans ces manipulations qui seront reprochées au régime et que rend possibles le suffrage censitaire[1]. L'habileté de Flaubert est d'avoir choisi comme représentant de la grande bourgeoisie non un réactionnaire avoué, mais un « libéral » ; ainsi sont dissipées les illusions que pourrait entretenir le lecteur sur la générosité de bourgeois prétendument progressistes. « Plus ou moins, nous sommes tous ouvriers ! » s'exclame-t-il pour ponctuer son ralliement à la République (p. 325) (une profession de foi qui ne coûte pas cher et qu'on put entendre dans la bouche de distingués hommes politiques), quitte à s'indigner quand ces ouvriers risquent d'entraîner trop de dépenses (« Car enfin, que veulent-ils ? » p. 348). Les prétentions ouvrières une fois mises au pas grâce à la répression des journées de juin, M. Dambreuse se retrouvera du côté de l'ordre. On s'abaisse à une indigne démagogie quand la vague de la contestation paraît l'emporter, puis on fronce les sourcils avec hauteur au premier retour de bâton... L'Histoire ne se répète pas, elle bégaie, et beaucoup ne pardonnent pas à Flaubert de l'avoir aussi bien deviné.

L'un des points difficiles à éclaircir dans le roman est la confiance que témoigne Dambreuse à Frédéric, dont on pourrait suspecter les piètres qualités et qui déçoit effectivement son entourage pendant la brève période où il pratique le droit à Nogent (voir p. 112[2]). C'est pourtant une mission importante qu'est prêt à lui confier Dambreuse (voir pp. 212 et suiv.). Sans doute est-il abusé par la fortune de Frédéric, moins considérable qu'il ne l'imagine. Il reste que, une fois persuadé qu'il peut se servir de lui, il

---

1. Voir note 1, p. 20.
2. Peut-être Dambreuse a-t-il cru aux talents de Frédéric sur la foi du père Roque, qui avait intérêt à asseoir la fortune de celui-ci dans lequel il voyait son futur gendre (voir p. 184).

ferme les yeux sur la trop évidente liaison qu'il entretient avec sa femme ; en somme aussi peu sourcilleux qu'Arnoux sur l'honneur conjugal quand les affaires peuvent en profiter. Mais Arnoux est un « brave garçon » qui ne nuit aux autres que par égoïsme ou légèreté ; Dambreuse, lui, est autrement redoutable : il a mijoté une vengeance que sa femme découvre en ouvrant son testament. Ainsi se fait encore l'éducation de Frédéric : en s'élevant dans l'échelle sociale, on rencontre des gens de plus en plus doux, de plus en plus raffinés... qui dissimulent d'autant mieux leur appétit de « requin » et leur machiavélisme.

◼◼◼◼ LOUISE ROQUE

Nogent-sur-Seine, ville natale de Frédéric (dans l'Aube, à une centaine de kilomètres au sud-est de Paris), n'a qu'une importance restreinte dans le roman. Frédéric ne s'y plaît pas, et il est significatif que le chapitre 6 de la première partie (qui s'y déroule tout entier et couvre environ deux ans) n'occupe que neuf pages. La faible place tenue par Mme Moreau, la mère de Frédéric, est à la mesure du peu d'attachement que manifeste celui-ci pour son terroir et sa famille.

Le personnage nogentais le plus important de l'œuvre est en fin de compte Louise Roque. Et pourtant, quand Frédéric revient à Nogent au début du roman et qu'on lui parle de Mlle Louise, il interroge : « Qu'est-ce donc, Mlle Louise ? – La petite à M. Roque, vous savez ? – Ah ! j'oubliais ! répliqua Frédéric négligemment » (p. 28). De même le verra-t-on « oublier » Deslauriers lorsque celui-ci l'a rejoint à Paris (p. 69). Dans les deux cas, il vient de quitter Mme Arnoux, qui éclaire d'un halo ce qui l'entoure, mais plonge du même coup dans les ténèbres tout ce qui s'éloigne d'elle. Trois ans plus tard, abasourdi par sa ruine, il ne reconnaît toujours pas la petite fille de douze ans, aux cheveux rouges, qui se trouve là toute seule. « C'est la fille de M. Roque, dit Mme Moreau » (p. 111). Cette malheureuse enfant ne retient décidément guère son attention... À peine se laissera-t-il embrasser quand, éperdue d'amour, elle le verra repartir pour Paris, déjà tout à ses rêves et à ses ambitions (p. 120).

Plus tard, il passe pourtant malgré lui pour « le futur » de Louise (p. 269) et son indécision, la tentation de la sécurité assurée par la fortune du père Roque, une vague tendresse aussi confèrent de la vraisemblance à ce projet. Il s'ensuit quelques pages d'une idylle en demi-teinte (pp. 273 et suiv.) à laquelle la campagne nogentaise donne une couleur vaguement romantique. Mais la paresse de Frédéric plus qu'une véritable nostalgie soutient ce retour aux sources. Risquons une comparaison avec une œuvre d'une facture et d'un ton tout différents : *Sylvie*, de Nerval. Le « petit Parisien » qui poursuit d'ambitieuses études est ému de retrouver la provinciale simple et bonne qui partageait ses jeux d'enfant. Mais chez Nerval, l'attrait de la paysanne et des paysages du Valois sont réels, alors que pour Frédéric, la tendresse de Louise et les bords sablonneux de la Seine ne servent qu'à meubler une attente. Le narrateur de *Sylvie* aura le sentiment d'une occasion manquée quand son amie épousera le pâtissier ; Louise, elle, pourra bien épouser Deslauriers : Frédéric n'en éprouvera que de la surprise.

Peut-être la Champagne où se situe Nogent ne vaut-elle pas le Valois. Flaubert, au reste, aime moins la nature que Nerval (dans ses lettres, il l'appelle d'un ton méprisant la « verdure »), et peut-être Frédéric doit-il sa vocation de citadin aux goûts de son auteur. Plus profondément, Frédéric est suffisamment attiré (perverti, pourrait-on dire) par les artifices de la société pour préférer les fleurs d'intérieur dont se décore Mme Dambreuse à cette plante toute naturelle que représente Louise. Il la défend bien mollement quand on la qualifie de « laideron » (p. 378). C'est qu'elle ne ressemble nullement, elle, aux femmes des livres romantiques, elle ne se déguise pas en « maréchale » et ne prend point de poses dans les salons. Soumis aux clichés de son époque, Frédéric pouvait se conformer à tel ou tel type d'amour, en aucun cas il ne pouvait en inventer un.

▰▰▰ PELLERIN

L'Art industriel constitue un lieu de rencontre privilégié pour les ambitieux et les désœuvrés. Parmi eux, on retiendra notamment Pellerin dont le rôle est important à un double titre :

– Frédéric ayant imaginé d'être artiste pour vivre auprès de Mme Arnoux, Pellerin prend valeur de médiateur (voir p. 70) ;

– c'est un théoricien infatigable : il est en peinture un homme à systèmes comme Sénécal l'est en politique, et les grandes tirades sur l'Art font écho, par leur solennité et leur vanité, aux grandes tirades révolutionnaires du roman.

Tout n'est pas stupide dans ce que dit Pellerin. Sa profession de foi contre le réalisme (« Les uns voient noir, d'autres bleu, la multitude voit bête », p. 66) pourrait être avouée par Flaubert. Son humilité devant les grands maîtres (p. 239) est à mettre à son crédit. Il s'éloigne davantage des opinions sur l'Art de Flaubert quand, doutant de l'existence du Beau, il verse dans le relativisme et vise à seulement « attraper la note » (p. 138) ; mais enfin, on pourrait proférer pire absurdité... On soupçonne un peu son admiration des peintres de la Renaissance de tourner au poncif ; mais les choses se gâtent tout à fait quand on découvre qu'il rêve moins à leurs chefs-d'œuvre qu'à la gloire qu'ils en tiraient (« Pendant une heure, il rêva tout haut à ces existences magnifiques, pleines de génie, de gloire et de somptuosités, avec des entrées triomphales dans les villes, et des galas à la lueur des flambeaux, entre des femmes à moitié nues, belles comme des déesses », p. 173). Flaubert, qui vivait en ermite à Croisset, n'a jamais envisagé l'Art comme un moyen de parvenir à la fortune et au plaisir.

Si Pellerin se caractérise autrement que par ses tirades, c'est par son amertume : il est persuadé que son génie devrait lui valoir une tout autre position sociale. On lui trouvera aussi, au plan de la doctrine, une fâcheuse tendance à mélanger l'Art et la vie : Frédéric lui ayant parlé des courses hippiques, « le peintre déclama contre l'anatomie des chevaux anglais, vanta les chevaux de Géricault, les chevaux du Parthénon » (p. 239).

La principale sottise de Pellerin consiste cependant à croire qu'il suffit de s'instruire pour devenir créateur : « Pellerin lisait tous les ouvrages d'esthétique pour découvrir la véritable théorie du Beau, convaincu, quand il l'aurait trouvée, de faire des chefs-d'œuvre » (p. 55) ; on sait à quelles stupéfiantes « croûtes » cette conviction le conduira (voir pp. 327-328). De même, en croyant « à l'importance d'un règlement ou d'une reforme en matière d'art » (p. 55), il rejoint le systématisme de Sénécal avec lequel il a eu de furieuses discussions (ainsi pp. 70-71), mais auquel il ressemble un peu pour l'essentiel.

Dans la cruelle distribution des destinées à laquelle Flaubert procède au dernier chapitre, Pellerin se retrouve photographe (p. 456). Ainsi, celui qui refusait jadis le Réalisme a-t-il sombré dans ce qui devait paraître, aux yeux de Flaubert, la négation même de l'Art : l'imitation servile de la réalité.

■■■■■ COMPARSES, FIGURES DE RENCONTRE

Parmi les autres figures marquantes de *L'Art industriel*, il faut compter Regimbart. Dans la décadence qui entraîne à la dérive tous les personnages du roman, il représente une sorte de permanence : pilier de cabaret qui fait un peu songer par sa raideur et ses manies au Binet de *Madame Bovary*[1]. Flaubert oppose son républicanisme à celui de Sénécal : le premier ne croit qu'aux faits, le second qu'aux principes, mais les deux se rejoignent dans une égale sottise. De même, sur le mode mineur et franchement comique, Regimbart donne l'image des expériences dégradées, vécues par procuration, de tant de personnages de Flaubert (ainsi, dans *Madame Bovary*, Léon parlant avec enthousiasme des montagnes suisses parce qu'un de ses cousins y est allé) : Regimbart « prétendait se connaître en artillerie, et se faisait habiller par le tailleur de l'École poly-

---

1. Voir *Madame Bovary*, « Profil d'une œuvre » n° 19, le personnage de Binet.

technique » (p. 77) ; de même Don Quichotte se prenait-il pour un héros de roman de chevalerie du moment qu'il se coiffait d'un saladier. Regimbart connaîtra quand même son heure de gloire, au moment où il arbitrera avec grandiloquence le duel de Frédéric et de Cisy. Quoique le duel fût devenu anachronique au XIXᵉ siècle, on en trouve maints exemples romanesques (*Le Rouge et le Noir*, *La Peau de chagrin*...), mais la cérémonie prend chez Flaubert un aspect ridicule plus marqué. Que Regimbart en devienne le maître d'œuvre achève le personnage. On le retrouve hantant les cafés au dernier chapitre, mais il s'y traîne. Les autres ont lentement dérivé ; on dirait plutôt de lui qu'il a pourri sur pied.

Et puis tant d'autres encore : Martinon, bûcheur et soumis, arriviste habile. « Ce gaillard-là est moins simple qu'on ne suppose », dit de lui Deslauriers (p. 93). Il finit sénateur. Mais depuis que Homais a reçu la croix d'honneur à la fin de *Madame Bovary*, on sait que les brillantes carrières ne sont pas le gage d'une grande finesse d'esprit aux yeux de Flaubert. On en dirait autant de la réussite de Hussonnet. Enfin, il faudrait faite une place à part à Dussardier, brave commis de roulage qui voudrait aimer toujours la même femme (p. 76), qui se réjouit sans arrière-pensée de la fortune de Frédéric (p. 158) et se révolte contre l'injustice (p. 161). Il mourra, victime de son honnêteté et de sa bravoure (p. 450). Que le seul cœur pur du roman (avec Louise Roque) ne vienne qu'à un rang aussi modeste dans la hiérarchie des personnages mesure assez bien le bilan désenchanté que peut dresser le lecteur.

Soulignant l'admiration que Flaubert vouait aux *Caractères* de La Bruyère, A. Thibaudet pense qu'il a voulu, dans *L'Éducation sentimentale*, faire la somme de son temps comme La Bruyère avait fait la somme du sien. Il y a sans doute plus de férocité chez Flaubert : point de distrait, mais un escroc, un imbécile, un fanatique... Parfois pourtant, le principe paraît voisin : on caricature en quelques traits, par une scène au besoin. Le tour de force réalisé dans *L'Éducation sentimentale* vient toutefois de ce que ces portraits sont enchâssés dans une vaste composition, qu'ils s'évanouissent et réapparaissent avec naturel (comme dans la vie) et construisent par leurs motifs l'architecture du roman. Donner par l'art l'illusion de la vie sans que jamais l'un nuise à l'autre : ce principe qui fonde *L'éducation sentimentale* montre avec quelle prudence il faut situer le roman de Flaubert en tête d'une évolution aboutissant au « nouveau roman » qui tourne en dérision l'illusion réaliste. Il y a même du paradoxe à prétendre que les « nouveaux romanciers » (Claude Simon, Robbe-Grillet, Butor...), qui ont voulu abolir la notion même de personnage, descendent en droite ligne d'un auteur qui, en peignant l'histoire de sa génération, a donné l'une des plus belles galeries de personnages du roman français.

■■■■■ **LE STYLE**

Des faiblesses ?

« Flaubert n'est pas un grand écrivain de race, la pleine maîtrise verbale ne lui était pas donnée dans sa nature même. » Cette opinion d'A. Thibaudet choquera profondément Proust ; au moins peut-elle être reçue comme un hommage rendu au travail du style de Flaubert. Thibaudet note que Flaubert procède par élimination après avoir entassé ratures et corrections (par exemple, dans la description du salon de Mme Dambreuse, pp.182-183) et que, pour éviter les répétitions, il change les tournures de phrases au point d'aboutir à un ordre des mots peu naturel (par exemple, dans le passage qui commence à : « De la clématite embarrassait les charmilles... », p. 275. Il est vrai, note Thibaudet, que Flaubert veut ici donner une impression de désordre).

L'autre danger qui guette Flaubert, c'est ce style oratoire auquel il donne parfois libre cours dans *L'Éducation*, quitte à mettre les discours pompeux qui lui viennent sous la plume au compte de personnages ridicules. Flaubert assumait d'ailleurs volontiers la bêtise de son époque, et on ne l'offense pas en trouvant qu'il ressemble à ses créatures. « Mme Bovary, c'est moi », aurait-il déclaré ; les bavards de *L'Éducation*, c'est encore lui. Ce romancier qui se moque des rêveurs n'a pas été épargné par les rêveries de sa génération, et si ses personnages parlent avec tant d'emphase, c'est que leur auteur n'en était pas dépourvu.

À cette fâcheuse propension, un remède selon Thibaudet : la coupe. Par une rupture imprévue, une opposition là où on attendrait une liaison, des raccourcis alors que se profile un développement, Flaubert échappe à l'emphase, c'est-à-dire que le narrateur se démarque des marionnettes qu'il met en scène. Ainsi, en pleine exaltation révolutionnaire, p. 317 : « Tout à coup *La Marseillaise* retentit. Hussonnet et Frédéric se penchèrent sur la rampe. C'était le peuple », ou encore, p. 320 : « Ils les jetaient dans le jardin, en signe d'abjuration. Le peuple les hua. Ils se retirèrent. » C'est par ces soudaines concisions que, suivant le rapprochement proposé par Thibaudet, Flaubert s'apparente à La Bruyère ; ainsi l'admirateur un peu honteux de Byron rejoint-il une rigueur et une économie de moyens toutes classiques.

Il se peut pourtant qu'aux yeux de certains lecteurs, ces moyens tournent au procédé. De même trouverait-on trop systématique cette manière qu'a Flaubert de détacher la fin de ses énumérations par un tiret, qui provoque un décalage dans le ton du narrateur. Les pages 73-74 en offrent une série d'exemples : « – et ces choses rêvées... », « – ayant coutume d'assister... », « – et Frédéric... », « – aimant tout ce qui dépendait... ». Plus précisément, on retrouve à maintes reprises la série : « ; – et ». Ce décalage de ton entraîne souvent vers un registre supérieur, comme si le tiret était un tremplin vers la rêverie ; ainsi, p. 87 : « D'autres fois, il la rêvait en pantalon de soie jaune, sur les coussins d'un harem ; – et tout ce qui était beau, le scintillement des étoiles, certains airs de musique(...) », cet envol n'allant évidemment pas sans ironie, comme cela est plus visible encore lors de la minable romance de Delmas : « Après chaque couplet, il y avait une longue pause, – et le souffle du vent dans les arbres ressemblait au bruit des ondes » (p. 92).

L'intelligence incorporée à la matière

Il serait toutefois mesquin de juger du style d'un écrivain à partir de quelques tics personnels. À plus forte raison en recensant ses incorrections ou ses obscurités (sur ce point, Flaubert n'est guère vulnérable, à la différence de Balzac ou de Stendhal qui seraient rayés des programmes s'il fallait les apprécier de manière purement négative).

La beauté de *L'Éducation sentimentale*, c'est en grande partie la personnalité d'un rythme qui épouse, fût-ce pour s'en moquer, les grands élans de l'âme, qui dérobe par d'audacieux raccourcis les mouvements qu'on attendrait lyriques et développe, au contraire, des moments d'authentique émotion. Ainsi l'alexandrin emphatique qui précède la grande ellipse de quinze ans : « Et Frédéric, béant, reconnut Sénécal » (p. 450). Le chapitre suivant, se refermant sur le départ définitif de Mme Arnoux, s'achève au contraire sur une phrase en apparence anodine : « Et ce fut tout », formule qui s'apparente à la litote chère aux écrivains classiques (dire le moins pour suggérer le plus). Ce perpétuel balancement entre l'éloquence (qui recouvre souvent la sottise) et la formule discrète (qui touche au contraire aux vrais sentiments) fait la véritable originalité de *L'Éducation sentimentale*. De même ces nombreuses définitions de l'amour (voir notre *Index* en fin de volume), qui pourraient sembler des aphorismes creux séparés de l'œuvre, mais qui prennent une valeur ambiguë (pensées immortelles ou banalités ?), rattachés à la personnalité elle-même équivoque de Frédéric. Ce jeu du narrateur (parle-t-il en son nom, ou traduit-il les pensées et sentiments de son personnage ?) faisait la nouveauté de l'écriture du roman et explique que certains esprits, plus sensibles au discours tenu dans le roman qu'à sa mise en perspective, aient jugé l'œuvre vulgaire ; ainsi Barbey d'Aurevilly : « *L'Éducation sentimentale* est avant tout la vulgarité, la vulgarité prise dans le ruisseau, où elle se tient, et sous les pieds de tout le monde. »

Proust a, au contraire, bien vu comment le talent de Flaubert consistait à épouser la matière qu'il traitait, les objets dans leur mobilité, les êtres jusque dans leur banalité, quitte à descendre effectivement dans le ruisseau. Répondant à la phrase d'Anatole France : « On ne sait plus écrire depuis la fin du XVIIIe siècle », Proust se demande si le contraire ne serait pas aussi vrai. « Chez Flaubert, explique-t-il, l'intelligence, qui n'était peut-être pas des plus grandes, cherche à se faire trépidation d'un bateau à vapeur, couleur des mousses, îlot dans une baie. Alors arrive un moment où on ne trouve plus l'intelligence (même l'intelligence moyenne de Flaubert), on a devant soi le bateau qui file « rencontrant des trains de bois qui se mettaient à onduler sous le remous des vagues[1] ». Cette ondulation-là, c'est de l'intelligence transformée, qui s'est incorporée à la matière. « Dans cette transformation de l'énergie où le penseur a disparu », Proust croit déceler « le premier effort de l'écrivain vers le style » (*Contre Sainte-Beuve*, « Bibliothèque de la Pléiade », Gallimard, p. 612).

Le style indirect libre : quelques exemples

Le reproche de vulgarité ne pouvait prendre Flaubert à revers puisque lui-même s'était demandé comment l'éviter : « Comment faire du dialogue trivial qui soit bien écrit ? » (à Louise Colet, 13 septembre 1852). C'était l'époque où il peinait sur *Madame Bovary*, et il s'agissait déjà de donner une valeur littéraire à des entretiens stupides. Un romancier peu exigeant aurait soigné le discours du narrateur et négligé les propos de ses personnages ; Flaubert, lui, procède comme un peintre qui dispose sur sa toile des zones d'ombre et de lumière, des premiers plans et des décors, mais se soucie toujours de l'unité de son œuvre. Le style indirect libre, déjà utilisé dans *Madame Bovary*, mais étendu et perfectionné dans *L'Éducation sentimentale*, concourt à cette unité.

Premier exemple fort simple de style indirect libre, p. 109 :

> – Ce n'est pas possible ! s'écria Frédéric.
> Elle eut un mouvement de tête signifiant que cela était très possible.
> Mais son oncle lui laisserait quelque chose ?
> Rien n'était moins sûr !

Le narrateur, dans les deux dernières répliques, omet les tirets qui distribueraient la parole à Frédéric, puis à sa mère, mais derrière les deux répliques ainsi écrites, le lec-

---

1. *L'Éducation sentimentale*, p. 20.

teur peut imaginer de façon transparente : « Mais mon oncle me laissera quelque chose ? – Rien n'est moins sûr ! » On observera, par rapport au style direct, les changements de temps et de pronoms. En style direct classique, Flaubert eût écrit : « Il demanda si son oncle lui laisserait quelque chose. Elle répondit que rien n'était moins sûr. »

Deuxième exemple plus subtil, p. 118 : « Il héritait ! » En style direct, faisant parler Frédéric, Flaubert aurait écrit : « J'hérite ! », mais le simple discours du narrateur aurait commandé : « Il héritait », sans point d'exclamation. La formule choisie, à mi-chemin entre les deux, met l'information au compte du narrateur, mais le rend complice de la joie de Frédéric.

Troisième exemple, carrément trompeur, p. 35 :

> Mme Moreau, en effet, ne le fréquentait pas ; le père Roque vivait en concubinage avec sa bonne, et on le considérait fort peu, bien qu'il fût le croupier d'élection, le régisseur de M. Dambreuse.
>
> – Le banquier qui demeure rue d'Anjou ? reprit Deslauriers.

On pouvait croire que c'était le narrateur qui donnait ces informations sur le père Roque ; mais à qui s'adresserait alors l'apostrophe de Deslauriers ? Elle ne peut s'adresser qu'à Frédéric, qui est à ce moment à ses côtés, et dont on conclut qu'il donnait à son ami les informations prises en compte par le narrateur.

Quatrième exemple, à peine perceptible, pp.124-125 :

> Le lendemain, dès sept heures, il arriva rue Notre-Dame-des-Victoires devant la boutique d'un rogomiste (...) Regimbart en sortait.

Comment, cherchant quelqu'un dans une boutique, peut-on savoir qu'il vient d'en sortir, sinon parce que le commerçant vous l'apprend ? Derrière « Regimbart en sortait », il faut donc entendre les paroles du commerçant disant à Frédéric : « M. Regimbart ? Il vient de sortir à l'instant. » Mais ces paroles sont prises en compte par le narrateur.

Aux frontières du style direct : italique et guillemets

Quand un mot appartient à un autre registre que celui dans lequel on écrit, on le met en caractères italiques. Ainsi, dans *Madame Bovary*, reflétant certaines tournures du parler normand, Flaubert les distingue-t-il de son propre langage (la vache qui a *l'enfle*, deuxième partie, ch. 6) ; il distingue aussi de cette façon des expressions chères à M. Homais.

On trouve trace du même procédé dans *L'Éducation sentimentale*. Nous avons déjà mentionné *faire son droit* dès la première page. Également p. 67 : « Il [Arnoux] était de ces gens qui se disent malades quand ils n'ont pas *fait leur tour* après dîner », mise en valeur de l'expression qui nous donne à entendre les paroles mêmes d'Arnoux. Mais l'italique, dans cet emploi, est presque interchangeable avec les guillemets. Ainsi, p. 57 : Regimbart « voulait qu'on lui servît "des plats de ménage, des choses naturelles" ! ». À plusieurs reprises, les expressions stéréotypées de Regimbart (personnage de composition, un peu caricatural) seront ainsi détachées. Or les guillemets désignent d'ordinaire le style direct : dans cet emploi proche de l'italique, ils montrent quelle frontière ténue sépare le style direct du style indirect libre. De même pour Delmas qualifié de « chanteur expressif » (p. 92) par ce qui est sans doute une *vox populi* assumée par le narrateur, ou pour la « belle carrière » de Martinon (p. 81), où les guillemets font entendre comme une rengaine ces deux mots que se répète le jeune arriviste.

Le mélange des styles

Souvent, style direct et style indirect se rapprochent assez pour se mêler l'un l'autre, sauf aux yeux d'un lecteur particulièrement attentif. Ainsi, p. 193, lors d'une scène entre Frédéric et Mme Arnoux : « Frédéric affirmait que son existence, de même, se trouvait manquée. Il était bien jeune cependant. Pourquoi désespérer ? Et elle lui donnait de bons conseils : "Travaillez ! mariez-vous !" » Étonnant mélange : « Il était bien jeune » laisse entendre en transparence les paroles de Mme Arnoux (« Vous êtes bien jeune ! ») : style indirect libre. « Pourquoi désespérer ? » est ambigu : il poursuit le style indirect libre, ou transcrit directement la question de Mme Arnoux. « Et elle lui donnait de bons conseils » réintroduit le discours du narrateur. « Travaillez ! mariez-vous ! » nous ramène au contraire au style direct. Quatre nuances, donc, en deux lignes !

Nous en avons dit suffisamment pour proposer, sans plus de commentaire, à la sagacité du lecteur l'analyse de quelques passages : p. 272 : « N'importe ! » etc. ; p. 295 : « Cependant, où serait le mal... » ; p. 399 : « L'avocat détestait les ouvriers... », ou p. 408 : « Elle n'était guère gênante... » Ces exemples ne sont pas limitatifs.

De ces incessantes nuances, on peut conclure que Flaubert cherche moins à individualiser les paroles de ses personnages qu'à les intégrer à une trame narrative, au tissu de l'œuvre. Il se distingue en cela de Balzac qui caractérise fortement ses personnages. Ceux de Flaubert retiennent moins par leurs différences que par leur appartenance à une tonalité générale du roman (« Je les ai tous pétris de la même boue, disait Flaubert, – étant juste »). Et même si certains d'entre eux outrepassent la moyenne de la sottise ou de la banalité, le style du narrateur va à leur rencontre, épousant leurs travers, au point que les alternances entre style direct et style indirect libre apparaissent moins comme le moyen de classer des discours que comme les infinies variations stylistiques au sein d'une œuvre qui vise d'abord à l'homogénéité et ne conçoit les écarts que comme les modes obligés d'une écriture symphonique.

■■■■■ UN NOUVEAU ROMANESQUE

Une esthétique de l'insignifiant

Madame Bovary racontait une histoire fertile en rebondissements, qui suivait une courbe ascendante avant

d'atteindre un dénouement dramatique. *L'Éducation senti-*
mentale reflète des faits historiques, mais pour les affadir ;
après ce sommet de la dérision que figure le rendez-vous
manqué avec la Révolution et Mme Arnoux, l'action s'enlise plus que jamais et s'effiloche à la fin du roman : celui-
ci connaît en effet trois dénouements : 1) le meurtre de
Dussardier par Sénécal, point final tragique de l'intrigue
politique ; 2) le départ définitif de Mme Arnoux, point final
plus incertain de l'intrigue sentimentale ; 3) la réflexion fi-
nale de Frédéric et Deslauriers enfin, qui conclut l'œuvre
de façon molle, peu nécessaire, laissant l'avenir de
Frédéric ouvert sur un horizon indécis. Conscient de cette
construction peu séduisante de son roman, Flaubert l'avait
signifié à l'un de ses amis, déplorant qu'elle ne fît pas la
pyramide. Pis encore, *L'Éducation sentimentale* charrie
tout du long des événements insignifiants.

Reste à savoir ce qu'on entend par « insignifiant ». Si les
hiérarchies d'une œuvre d'art sont les mêmes que celles
de la vie, seront signifiants les grandes pensées et les
grands sentiments, les actions d'éclat, l'amour éternel et
la mort. Les discussions stériles et les œuvres ratées, les
promenades sans but et les amours de rencontre seront à
l'inverse jugées sans intérêt. Mais croire à l'Art, comme
c'est le cas pour Flaubert, c'est justement ne pas en faire
un simple décalque de la vie et lui reconnaître des priorités
indépendantes. On l'admet facilement en peinture, où des
chefs-d'œuvre figurent des natures mortes (fruits, compo-
tiers ou autres) qu'on ne regarderait pas au naturel, tandis
que des moments d'intense émotion peuvent être les sujets de « croûtes ». On l'a reconnu moins vite dans le roman, marqué par ses origines (il est fait d'abord de légende et d'histoire), à moins qu'il ne fût considéré comme
un divertissement mineur ou un témoignage « réaliste »
sur la vie des petites gens. Affranchissant la noblesse du
propos artistique de la noblesse de son sujet, Flaubert
contribuait à fonder le roman comme un art majeur.

Un exemple des insignifiances de la vie qui peuvent devenir de grands moments esthétiques : les déplacements
de Frédéric ; ses errances dans Paris, mais aussi ce lent

retour dans la capitale au début de la deuxième partie. Quand, dans Balzac, Lucien de Rubempré « monte » d'Angoulême à Paris (*Illusions perdues*), l'essentiel est dans le point de départ et dans le point d'arrivée, non dans le trajet (à moins que le héros n'y fasse une rencontre décisive, comme celle de Vautrin). Chez Flaubert, le voyage lui-même prend du relief parce qu'il se charge des pensées de Frédéric et que son regard sur les choses « signifie » quelque chose.

L'obstination de la description

Madame Bovary avait été « éreintée » à sa parution par un article de la revue *Réalisme*, où on reprochait à Flaubert de tourner le dos à la réalité à force de la décrire. Cette « obstination de la description » enlevait leur présence aux objets à force de détails et leur humanité aux personnages. *L'Éducation sentimentale* encourt le même reproche. Si Paris est décrit dans le roman, ce n'est pas, comme il le serait dans un roman traditionnel, pour servir de cadre à l'action et offrir des points de repère à l'imagination du lecteur, mais parce que Frédéric le voit ainsi : pas de description systématique donc, mais des visions fragmentaires (ainsi la vision picturale de la page 69, déjà commentée), tributaires d'un regard paresseux. Au lieu d'être un théâtre de l'action, comme pour certains héros de Balzac, Paris devient un prétexte à l'errance, le lieu où se modèle en creux l'inaction de Frédéric.

Caractéristique est la description des alentours de la capitale au début de la deuxième partie : quel intérêt à décrire ces terrains délabrés de la banlieue, ces boutiques de mauvais goût, ces ignobles cours pleines d'immondices (p. 122) ? C'est le regard de Frédéric qui leur donne l'existence, c'est à lui que ce spectacle apparaît sordide ; en soi, les objets ne sont ni vulgaires ni distingués : ils dénoncent la prétention à la distinction du héros. Nous avons signalé combien certaines réflexions morales du narrateur apparentaient *L'Éducation sentimentale* au roman psychologique ; pour l'essentiel, elle s'en démarque nettement, en ce que les traits de caractère ne sont pas préjugés par

Flaubert, mais dégagés du monde où ils s'inscrivent. Il n'y a pas, d'une part l'homme, tributaire de l'analyse psychologique ou morale, d'autre part le monde, tributaire de la description, mais un rapport indissociable entre l'homme et le monde, chacun se révélant par l'autre. Décrire, c'est démasquer non les objets (comment les connaître *vraiment* ?), mais le regard porté sur eux.

Il est frappant que le reproche d'inhumanité adressé à Flaubert sera formulé presque dans les mêmes termes à l'encontre des auteurs du « nouveau roman » : on les accusera pareillement d'oublier l'homme, pour se complaire dans les choses et céder à une manie de la description. C'est peut-être que, rompant avec une tradition littéraire de la foi en l'homme (romans de chevalerie, mais aussi bien les romans de Stendhal, qui exaltent l'énergie de l'individu, ou de Balzac, qui reflètent les forces montantes de la société capitaliste), Flaubert décrit une société où les vertus individuelles et sociales sont sans pouvoir contre le monde. Le preux chevalier voit la forêt et Rastignac la jungle parisienne non pour s'y fondre, mais pour y marquer les repères qui définissent leur action ; la nature amollie de Frédéric se conforme, au contraire, aux lieux, aux objets, aux êtres : décrire les décors « insignifiants » qui s'offrent à ses yeux, c'est rendre compte de son abdication devant le monde, de même que décrire les vêtements et tout ce qui entoure Mme Arnoux, c'est peindre l'amour non plus comme une volonté de conquête, mais comme le désir indécis de se fondre dans l'autre.

La victoire du Temps

On trouve une des meilleures analyses de *L'Éducation sentimentale* dans *Théorie du roman*, de G. Lukacs [1] ; celui-ci range le roman de Flaubert parmi les œuvres que caractérise le « romantisme de la désillusion ». Le problème de la confrontation de l'individu avec le monde (inhérent à tout roman) vient ici de ce que les ambitions du héros dé-

---

1. « Médiations », Gonthier, 1963.

passent ce que le monde peut lui offrir (de même dans *Don Quichotte*, de Cervantès).

Dans ce type de romans, le monde étant vidé de toute signification aux yeux d'un héros qui n'a pu réaliser son idéal, il ne reste plus qu'à affronter des formes vides : à se battre contre le temps. Dans les romans d'action, le temps est un obstacle ou un instrument : dans tous les cas, il n'a pas de valeur en lui-même (disons, pour simplifier, qu'un héros de roman de chevalerie ou de roman policier a, ou n'a pas, le temps de faire *quelque chose*). Dans un roman d'inaction, comme *L'Éducation sentimentale*, rien ne valant la peine plus qu'autre chose, le temps s'écoule, indifférent, mais c'est lui qui est finalement vainqueur. Dans les grands romans d'amour, les amants dépassent le temps grâce au mythe de l'amour éternel ; ici, l'amour de Frédéric s'use sans avoir été consommé. Il ne restera plus à Frédéric, voyageant comme un désœuvré, qu'à essayer de *tuer le temps*, par l'indifférence ou le retour aux souvenirs d'enfance. Mais que la vie continue au-delà de la fin du roman (d'où le caractère frustrant du dénouement) montre bien que le temps (ou, pour dire les choses de façon moins abstraite : la vieillesse, l'usure, le désenchantement...) finira par triompher.

Ainsi seraient justifiées cette mollesse de composition du roman qui, à l'image de la première scène, fait dériver le héros au fil des événements ; cette galerie de personnages qui s'accumulent à n'en plus finir sans nécessité apparente ; cette succession d'événements prétendument historiques, et qui ne font que répéter toujours la même histoire. À la fin du roman, Frédéric en est sentimentalement au même point qu'au départ ; seule différence tangible : au lieu d'avoir dix-huit ans, il en aura bientôt cinquante. Les Français sous le Second Empire sont aussi peu libres que sous la monarchie de Juillet ; seule vérité irréfutable : des centaines sont morts entre-temps au nom de la Liberté. Et ainsi de suite. Quand deux situations se présentent identiques à vingt ans d'intervalle, elles nous remplissent d'une certitude au moins : que du temps a passé. Si Frédéric et Deslauriers essaient de retrouver leur enfance au dernier chapitre, c'est au moins le signe qu'ils l'ont perdue.

Cette importance prise dans *L'Éducation sentimentale* par le Temps, non comme cadre d'une action, mais comme sujet principal de l'œuvre, fonde peut-être la vraie modernité du roman. De manière plus explicite que Flaubert, Proust placera le Temps au centre de son œuvre romanesque. De manière plus sensible encore, c'est peut-être dans des grands romans du désenchantement, comme *Aurélien* d'Aragon, qu'il faudrait chercher la véritable descendance de *L'Éducation sentimentale*.

Conclusion

Flaubert rêvait d'écrire un « livre sur rien », qui n'aurait tenu que grâce à la force du style. Il en est loin, avec *L'Éducation sentimentale*. Il se passe beaucoup de choses dans ce roman : outre les événements politiques dont il est le témoin, Frédéric est ruiné, puis riche ; il est aimé de quatre femmes, il a deux maîtresses que le monde lui envie. Par cette succession d'événements ainsi que par la galerie des personnages, *L'Éducation sentimentale* appartient encore à la grande tradition romanesque. C'est le « nouveau roman » qui, au xxᵉ siècle, approchera le mieux l'idéal du « livre sur rien ».

Ce « nouveau roman », *L'Éducation sentimentale* le préfigure par d'autres traits : le point de vue ambigu du narrateur, la passivité de Frédéric devant les êtres et les choses, son goût pour l'errance qui provoque d'obsédantes descriptions. Mais c'est davantage un « nouveau romanesque » qu'inaugure *L'Éducation sentimentale*, c'est-à-dire un nouveau mode de sentir, de penser, de concevoir le monde. Nullement négligeables en eux-mêmes, les événements sont en effet rendus dérisoires par rapport aux rêves du héros et au temps, qui entraîne et modifie tout. Ce décalage entre l'idéal et la réalité, ainsi que la victoire du Temps qui, d'instrument de réussite, se change en maître du Destin, fondent une esthétique du désenchantement. Les grandes œuvres romanesques qui s'inscriront dans cette lignée ne ressembleront plus à des drames. Le drame, en effet, utilise le temps pour y développer une action, et c'est le schéma de cette action qui confère à l'œuvre sa forme et son unité. Mais du moment où le Temps l'emporte, ce n'est plus l'action qui rythme l'œuvre : les événements s'effilochent, le roman s'écoule comme un fleuve, et cet écoulement même devient le sujet du livre.

BIBLIOGRAPHIE

Notre édition de référence de *L'Éducation sentimentale* est celle de la collection « Folio », Gallimard, 1990, préface d'Albert Thibaudet, notice et notes de S. de Sacy. Voir aussi l'édition des Classiques Garnier (de P.M. Wetherill, 1984), et la collection « GF » (C. Gothot-Mersch, 1985).

Œuvres complètes de Flaubert

Nous conseillons l'édition en 2 volumes, « L'Intégrale », Éditions du Seuil, préface de Jean Bruneau, présentation et notes de Bernard Masson. Le tome 1 comprend, entre autres, les écrits de jeunesse et la première *Éducation sentimentale* (version de 1845). *L'Éducation sentimentale* de 1869 figure dans le tome 2.

L'édition de la Pléiade en 2 volumes, plus coûteuse, ancienne et très imparfaite, est d'un intérêt limité.

Correspondance

La correspondance de Flaubert fournit souvent le meilleur commentaire à ses œuvres. Voir l'édition de la Pléiade de J. Bruneau (3 volumes parus à ce jour).

Ouvrages critiques sur « L'Éducation sentimentale »

– René Dumesnil, « *L'Éducation sentimentale* » *de G. Flaubert,* (Nizet, 1971). Bref, accessible, fondamental pour la genèse de l'œuvre.
– Pierre-Georges Castex, *Flaubert,* « *L'Éducation sentimentale* » (SEDES, 1989). Les ébauches et la genèse de l'œuvre, son architecture, les thèmes et une étude du style.
– *Flaubert,* « *L'Éducation sentimentale* », ouvrage collectif, recueil d'articles (Éd. Marketing, coll. "Ellipses", 1989).

– Société des Études romantiques, *Histoire et langage dans « L'Éducation sentimentale » de G. Flaubert* (SEDES, 1981). Recueils d'articles de niveau universitaire.

On trouvera également des articles sur *L'Éducation sentimentale* dans les numéros spéciaux consacrés à Flaubert des revues :

– *Europe*, septembre-novembre 1969 (B. Masson, « L'eau et les rêves dans *L'Éducation sentimentale* »).

– *Littérature* (Larousse), mai 1971 (B. Slama, « Une lecture de *L'Éducation sentimentale* »).

– *Revue d'Histoire littéraire de la France*, juillet-octobre 1981 (A. Fairlie, « Aspects de l'histoire de l'art dans *L'Éducation sentimentale* »).

Ouvrages critiques sur Flaubert

– A. Thibaudet, *Gustave Flaubert* (Gallimard, 1934, 1re version en 1922). Souvent cité pour son excellent chapitre 10 sur « Le style de Flaubert ».

– Marie-Jeanne Durry, *Flaubert et ses projets inédits* (Nizet, 1950). Capital pour les ébauches et la genèse des œuvres de Flaubert.

– J.-P. Richard, *Littérature et sensation* (Le Seuil, 1954, repris dans la collection « Points »). Lire le chapitre « La création de la forme chez Flaubert ». A-t-on rien écrit de plus séduisant et de plus profond sur Flaubert ?

– *Travail de Flaubert*, ouvrage collectif, recueil d'articles (Le Seuil, 1983).

INDEX DES THÈMES ET NOTIONS

(Les numéros renvoient aux pages du *Profil*.)

Imprimé en France par l'Imprimerie Hérissey - 27000 Évreux
N° d'édition : 15576 - N° d'impression : 74100 - Dépôt légal : Septembre 1996